¿Quién recuerda dónde o cuándo?

Anita Shreve

¿Quién recuerda dónde o cuándo?

Traducción de Ana Cristina Werring

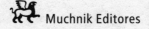

Muchnik Editores

La primera edición de esta obra en castellano se publicó
en la colección *Los Narradores* en 1994.

Título original:
Where or When

Primera edición en esta colección: noviembre de 2001.

ISBN: 84-7669-508-X
DEPÓSITO LEGAL: B. 43.035-2001

Fotocomposición: Zero pre impresión, S. L.
San Fructuoso, 76, local 1, 08004-Barcelona

Impreso en Liberdúplex, S. L. Constitución 19, 08014-Barcelona.
Impreso en España / Printed in Spain

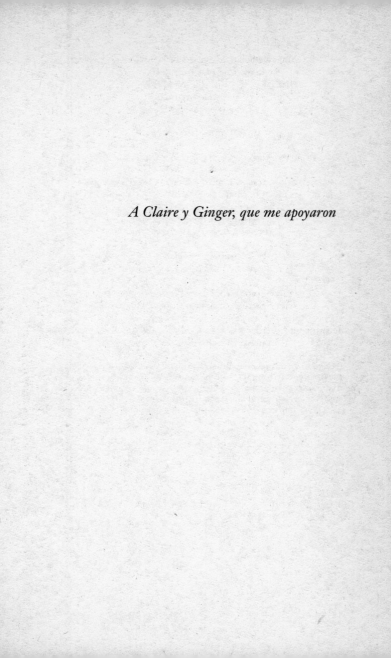

A Claire y Ginger, que me apoyaron

Para Ozzie

La existencia impregna la sexualidad y viceversa, de tal modo que es imposible definir, en una acción o decisión determinada, la proporción de la motivación sexual con respecto a otras motivaciones, es imposible calificar un acto de «sexual» o de «no sexual». No hay superación de la sexualidad, como tampoco hay una sexualidad confinada en sí misma. Nadie se salva y nadie está absolutamente perdido.

Maurice MERLEAU-PONTY

UNO

Lo recuerdo todo.

El beso en la nuca.

Dijiste que solías tener un sueño. Cuando éramos niños soñabas que mis pezones despuntaban a través de la tela de mi blusa. Y cuando fuimos mayores dijiste que volviste a tener ese sueño y que durante el largo período intermedio no lo volviste a tener.

Cuando éramos pequeños susurrábamos palabras como los novicios en las vísperas. Éramos niños y nos daba miedo pronunciar las palabras en voz alta. Creo que esto despertó en nosotros unos deseos que no nos han abandonado nunca. Pero aquella tarde, ¿qué sabía yo de imborrables comunicaciones?

Fue una tarde de septiembre, una tarde de domingo. Y recuerdo que llovía. En la biblioteca de la universidad, revestida de paneles de madera se encontraban unas cien personas y sobre la mesa junto a la puerta se amontonaba una pila de libros. Entre la gente se hallaban algunos amigos míos y mi esposo Stephen. Mi hija no estaba allí. Observé a mi marido gesticular con el vaso en la mano, abarcar con un gesto toda la habitación llena de gente (el vino derramándose), como si acallara sus propias ansiedades convirtiéndose en mi seguidor más apasionado. Era Stephen el que, vestido con un suéter gris y un *blazer*, se encontraba de pie junto a la mesa de los libros, de los libros y del periódico del día con mi propia foto en un anuncio.

Antes, aquella mañana cuando conducía hacia la universidad Stephen había permanecido callado. Las plantaciones de cebolla de aquella primavera habían sido arrasadas por unas fuertes e inesperadas lluvias. Stephen no había podido cumplir con un pago del banco. Seguramente dejaría pronto de cumplir con otro.

No se trataba de que Stephen hubiera hecho o dejado de hacer algo preciso. Todas las granjas cebolleras iban mal.

La granja que Stephen podía perder estaba enclavada en un terreno oscuro. La llamaban la «tierra negra». Se trataba de una tierra más negra que el hollín. Cada año, cuando las lluvias cesaban y si el agua no se había llevado la plantación, los tiernos brotes surgían de entre la tierra en perfectas hileras y convertían aquella tierra negra en una de un brillante color verde cebolla.

Pero la granja no era mía. Nunca fue mía.

Aunque había habido otros libros, otras colecciones, era la primera vez que se daba una fiesta. Como pudiste observar, se trataba de un volumen delgado con las cubiertas de papel de un acabado mate. Un breve volumen con unos treinta poemas. Este libro no despertaría mayor interés que los anteriores aunque esta vez hubo la fiesta y dinero para el anuncio, sólo para éste.

Para la foto del anuncio me habían pedido que llevara puesto un suéter negro, y en el estudio el fotógrafo me había quitado las gafas, me había retirado las horquillas del cabello y me lo había despeinado con los dedos. El resultado fue un parecido reconocible pero esencialmente menos formal.

Durante la fiesta permanecí de pie en el extremo de una pequeña habitación mientras la gente deambulaba a mi alrededor y a veces se detenía para dirigirme una frase o unas palabras. Recuerdo que mi editor se acercó a mí y, en un momento de optimismo injustificado, un amistoso optimismo injustificado para disimular el decepcionante fallo de haber imprimido el libro en letra demasiado pequeña, me dijo que ese delgado volumen cambiaría el rumbo de mi vida. Y yo le había sonreído como si también compartiera ese optimismo, aunque en aquel momento pensé que mi vida no cambiaría, por lo menos, no más allá de las pequeñas y sísmicas vibraciones de un niño creciendo, de una casa asentándose lentamente sobre la tierra o de un matrimonio que, a base de minúsculos e imperceptibles productos, va desintegrándose.

Ahora he caído en desgracia, he sido abandonada por el estado de gracia.

Cuando tú y yo éramos niños aprendimos lo que es la muerte. Fue en la inevitabilidad de la separación final, una muerte contra la cual éramos completamente impotentes. E incluso de adultos, el separarme de ti fue siempre algo brutal.

A menudo quise preguntarte: ¿Te regaló tu mujer esa chaqueta de cuero?, ¿llevabas otra ropa que ella te había comprado y que yo tocaba, quizás una corbata, una camisa?

Poco antes de acabar la fiesta mi editor pronunció un brindis. Cuando terminó levanté la cabeza. Busqué a Stephen entre la gente. Estaba junto a la puerta apoyado contra la pared, apurando su vaso.

Observé cómo mi marido depositaba el vaso encima de una pila de libros dejando un húmedo redondel sobre el acabado mate de una portada. Vi como Stephen abandonaba la fiesta sin ni siquiera echar una ojeada hacia atrás.

Incluso en el interior de la bahía las olas se encrespan, escupen la espuma de sus crestas. A él le gusta el mar así, bravo, brillante. Esas mañanas son las mejores. Las gaviotas, las ratas de mar, luchan contra el viento, luego se precipitan en picado en el agua para hacerse con su presa. Como todos los domingos, los viejos están en el puente apoyados contra una barandilla que no puede aguantar un año más; aunque hace años que lo piensa, pero la barandilla nunca cede. El puente es de madera y mide casi una milla. Al cruzarlo, cuando hace buen tiempo, los tablones traquetean, pero cuando las salpicaduras se hielan sobre sus gruesos listones es resbaladizo y traidor. El puente une la tierra firme con un pequeño pedazo de playa y en verano tiembla bajo el peso de las caravanas Dodge y de los Jeeps Cherokees, llenos de mujeres y de niños, de sombrillas y de mantas, de neveras portátiles con soda y de cremas de sol protectoras. Pero ahora, la segunda semana de septiembre, los veraneantes se han marchado, y Charles y los viejos tienen finalmente el lugar para ellos solos. Charles hace navegar con elegancia el cada vez más viejo Cadillac negro carbón a lo largo del tosco entablado. Saluda a los hombres que, vestidos con sus manchados tabardos, sus chaquetas de tartán y sus gorras de béisbol, están con las espaldas encorvadas contra el viento observando si en sus sedales perciben un tirón que sea ligeramente distinto al tirón de la corriente. Cruza ese puente dos o tres veces al día y cada vez lleva el coche hasta el final. A veces desciende para atravesar las dunas junto al océano para mirar hacia Lisboa o hacia Rabat, o para contemplar cómo las barcas de pesca entran en el puerto bordeando el muelle al sur del puente. Otras veces se queda simplemente dentro del coche y escucha a Roy Orbison mientras saborea una cerveza, quizá dos, hasta que llega la hora de la cita o de regresar a casa, donde parece que Harriet y sus hijos siempre lo estén esperando.

Hoy necesitaban leche para el desayuno y sabe que no debería de haberse demorado. Pero la mañana es demasiado bonita, razona, para perdérsela. Junto a él hay un cartón de medio galón de leche descremada al dos por ciento, un abultado periódico *Sunday* de la semana y un envoltorio grasiento con rosquillas rellenas de gelatina que ha comprado para los niños, aunque ya sabe que cuando llegue a casa, sus hijos ya habrán desayunado algo que no requiera leche. Harriet despreciará las rosquillas, ni siquiera abrirá el paquete, las colocará en un rincón de la repisa de la cocina hasta que se endurezcan dentro de la bolsa manchada y finalmente sean incomestibles. Pensando en eso, Charles decide comerse por lo menos una, a pesar de que normalmente no le gusten los dulces. Aparca el Cadillac en el pequeño círculo de asfalto negro que cada año es más reducido, invadido por la arena. Saca una rosquilla del paquete, baja del coche y se encamina hacia las dunas que le impiden ver el océano. Lleva puestos los tejanos, una camisa blanca que lleva desde el viernes y encima el chándal negro con capucha. Sin pensarlo, se ha puesto los zapatos de piel con borlas, los zapatos de vestir, que al caminar se van llenando rápidamente de arena. Le da un mordisco a la rosquilla. La gelatina chorrea entre sus dedos. Con la mano que le queda libre intenta quitarse los zapatos y los calcetines. Se lame los dedos. La arena está fría bajo las plantas de sus pies. ¿A qué velocidad se evapora el calor de la arena en septiembre?, piensa.

El panorama, desde lo alto de las dunas, siempre compensa la pequeña escalada. El mar está revuelto, pero guarda un color azul marino intenso. Unas crestas blancas aparecen y desaparecen como los bips de la pantalla de un radar. Desciende de la duna y se dirige hacia el agua. Las gaviotas se sostienen inmóviles en medio del aire, incapaces de adelantar contra el viento. Incluso la arena, un fino azúcar sobre la capa dura que ha dejado la marea alta, imita las salpicaduras de las olas y al volar aguijonea sus pies desnudos. Pero lo que le hace permanecer inmóvil es el azul, el profundo azul inagotable que le habla de los días claros y sin complicaciones. Quiere, como siempre ha querido, tenerlo, poseerlo, llevárselo consigo, mirarlo cuando lo necesite, pues sabe que esta tarde este azul habrá desaparecido, habrá sido reemplazado por colores apagados, grisáceos o verdosos.

—¡Hola, Charlie Callahan! ¿Tomando el sol, eh?

Charles se vuelve para mirar al que habla pero por la voz cascada ya sabe que se trata de Joe Medeiros, un personaje del pueblo, un cliente. Joe se gana la vida como dragador y se le nota: una barba de dos días, una chaqueta de tartán acolchada, tan desgastada en los codos que deja ver el poliéster del relleno, unos pantalones manchados. Uno de los dientes frontales de Joe está muy descolorido. Medeiros es un hombre que se avergüenza de sus dientes por lo cual nunca sonríe. Incluso, a pesar del aire salado, Charles percibe el olor de su rancio aliento. Sabe que es culpa del whisky.

—¿Pescando? —pregunta Charles.

—Tenía el sedal en el agua. He visto tu coche. No se pillan más que babosas.

Charles aguarda con los zapatos en una mano y la otra en el bolsillo de sus tejanos. Sabe que ésta no será una visita casual. Joe resuella a causa de la escalada de las dunas. Seguramente tampoco está interesado en el paisaje.

—¿Cómo van los negocios? —Joe saca un paquete de Carlton del bolsillo de su chaqueta y enciende un cigarrillo amparándose del viento.

Charles se encoge de hombros con un gesto muy habitual y familiar:

—Aguantando, como todo el mundo.

—Ahí, ahí —exhala Joe. El viento envía el humo debajo de su barbilla que penetra por su cuello—. La semana pasada tuve que vender dos barcas. Mejor dicho, casi las tuve que regalar.

Charles dirige la mirada hacia la arena. Dios mío, piensa. Ya estamos.

—Mira, la cosa está así —Joe escudriña el puerto como si buscara una de las barcas que ha tenido que regalar—. El jodido banco me ha cortado el crédito. Tú me conoces, Charlie. Llevo años haciendo negocios con Eddie Whalen con un simple apretón de manos y cada mes le he pagado a ese bastardo religiosamente. Y así es como me lo agradece.

Joe Medeiros tose por culpa del tabaco o por rabia y, para llamar la atención sobre este punto, expectora una flema que escupe en la arena.

—Así pues, me voy allí para enterarme de qué pasa con mi crédito y me encuentro a Eddie sudando tinta. Está seguro de que lo van a echar a la calle.

Hacienda ha estado revisando sus asuntos y le han dicho que ha hecho unos préstamos que no debería haber concedido, ¿estás al caso? Y la cosa es que, sabes, —y aquí Joe Medeiros aparta la vista totalmente incapaz de afrontar la mirada de Charles—, el dinero que iba a utilizar para pagar la prima lo he tenido que gastar para pagar la hipoteca. Así de sencillo.

Charles dirige la mirada hacia Marruecos. No ha estado nunca en África ni tampoco en Europa. Quisiera tener la habilidad de hacer desaparecer a Joe Medeiros, de que se esfumara de las dunas. Le disgusta que le invadan la mañana del domingo, que le amarguen el panorama con asuntos de trabajo y que le provoquen el pánico que normalmente no empieza a sentir hasta el amanecer del lunes, cuando lentamente comienza a trepar por su espina dorsal.

—La vieja historia de siempre, ¿verdad? —deja caer casualmente Charles, como ha venido haciendo a menudo durante esos últimos diez meses. No le sorprende que los federales hayan estado revisando los libros de Eddie Whalen. Dieciocho meses atrás Whalen regalaba el dinero. Firma en la línea punteada, como Charles y la mayoría de los hombres del pueblo había hecho.

—Mañana o pasado pásate por la oficina —dice Charles—, hablaremos. Ya lo arreglaremos.

Distraídamente, Charles dibuja garabatos en la arena con los dedos de los pies. Sabe muy bien que lo primero que debería haber hecho era sacarle el dinero a Medeiros. El cheque de 15.000 dólares hubiera servido para pagar a Costa. Mañana tendrá que llamarle y cancelar la construcción de la ampliación de su casa. Y Costa es un cliente. Charles perderá su negocio.

¡Dios mío, no se acaba nunca!

—¿Cuándo van los malditos bancos a tener pasta para la gente de la calle? Esto es lo que quisiera yo saber —dice Joe mirando esta vez a Charles. El pescador da otra calada y tira la colilla en la arena. Asunto concluido. Unas pequeñas chispas vuelan hacia los pies desnudos de Charles.

—¿La mujer bien?

Charles asiente con un movimiento de cabeza.

—¿Los chicos también? Te ha tocado a ti, Charlie. Comprendes la situación, ¿verdad?

A Charles le horroriza esa parte del asunto. El desenlace, el cachondeo burlón después de las malas noticias.

—Los chicos están bien —responde lentamente.

Otro caso perdido. Charles lucha contra el pánico mirando hacia el océano, imaginándose las Azores. Observa una barca que intenta enfilar la estrecha entrada al puerto entre el mar revuelto.

—Bueno, voy a ver qué pasa con mi sedal. Seguramente sólo habré pescado un montón de asquerosas algas —Joe se vuelve como si fuera a alejarse. Luego se detiene—. Escucha Charlie, lo siento. Esto me jode mucho. Ya sabes a lo que me refiero. Estoy seguro. Nunca olvidaré cómo llegaste a casa de Jeanette. Después de que Billy...

Charles dirige la mirada hacia Joe. Los ojos del pescador lloran a causa del viento y la nariz le moquea. El hijo de Medeiros había muerto ahogado antes de cumplir los veinticinco años al caer de la barca de pesca de su padre. Charles le había vendido un seguro a Medeiros a nombre de sus dos hijos y recuerda el viaje con el cheque hasta la casa de la esposa de Billy Medeiros. Después de enterarse del accidente de Billy (sucedió siete años atrás, a las cuatro y media de una tarde de verano cuando Charles se encontraba en el Blue Schooner: la noticia había corrido por los taburetes del bar como una anguila libre y escurridiza), Charles había rellenado los papeles inmediatamente, aquella misma noche se había presentado en la funeraria para sacar un certificado de defunción, había recortado la esquela del periódico local y había enviado todos los documentos necesarios a la oficina central. Diez días más tarde recibía el cheque que inmediatamente llevó, metido en el bolsillo de la pechera de su americana, hasta la escalera del pequeño bungaló de Billy Medeiros situado en la carretera de la costa. Charles había conocido anteriormente el dolor ajeno. A veces formaba parte del propio trabajo. Pero nunca tan al desnudo como aquel día. Jeannette, una mujer pequeña con el cabello oscuro y fino lo recibió en el dintel de la puerta y de momento él no la reconoció. Su rostro estaba blanco como el papel y estaba envejecida e hinchada a causa de su embarazo. Junto a ella se hallaba una hija suya, que no tendría más de cuatro años, chupándose el pulgar.

Charles recuerda haber sacado el cheque del bolsillo y habérselo ofrecido a la mujer. Recuerda también cómo cambió su rostro al comprender el significado de aquel cheque y cómo, una vez más, experimentó la irrevocabilidad del accidente de su marido. Y Charles recuerda también que la esposa de Billy Medeiros se dobló sobre sí misma, con unos agudos y suaves gemidos que a él le sonaron casi como gemidos sexuales, y tuvo la impresión de que eran demasiado íntimos para los oídos ajenos. Recuerda haberse preguntado cómo sonaría su propio dolor si Harriet muriera, recuerda haber pensado, no sin remordimientos, que seguramente no sonaría como el de Jeannette Medeiros. Se había quedado plantado allí, impotente, con las manos flotando inútiles en los bolsillos, sin saber si debía acariciar a la mujer de Billy Medeiros para reconfortarla. Finalmente se había llevado a la silenciosa y asustada niña a tomar un helado y a jugar una partida de minigolf.

Evocando aquel día y observando cómo Joe Medeiros volvía a cruzar las dunas, Charles piensa una vez más que ha acabado haciendo un trabajo muy extraño, por lo menos eso cree él: que en realidad se lo ha encontrado, se ha topado con él, no lo ha elegido. ¡Qué gran abismo existe entre aquel seminario de antaño y la presente realidad, aunque a veces no lo sea quizá tanto! Se hace pocas ilusiones de cómo los demás valoran su trabajo: una indeseable (aunque casi siempre necesaria) grieta en el engranaje, un trabajo que se sitúa entre el de un perito mercantil colegiado y el de un asesor fiscal, el blanco ocasional de los chistes de un programa nocturno de la televisión. Normalmente piensa en sí mismo como en un simple hombre de negocios, un vendedor de un producto, un hombre que es mejor con la gente que con el trabajo burocrático. Aunque de vez en cuando, cuando se siente bien, le gusta pensar que es un agente de la Vida con todo lo que este título, como metáfora, pueda implicar: un agente de la Vida, un asegurador de vidas, incluso una especie de amable cura laico que imagina a sus clientes, su rebaño, comprándole pólizas de seguros motivados por amor, porque aman a una mujer, a un hombre o a un niño.

Pero inevitablemente existen los días malos, ésos en los que se pregunta si, después de todo, no será únicamente un precursor involuntario y paradójico de la mortandad.

El martes pasado fue el peor. Sólo vislumbrar a Tom Carney sentado detrás de su mesa de despacho le hace temblar involuntariamente debajo de su chándal de capucha. Dirige la mirada hacia el mar como para borrar el pensamiento, pero éste continúa fijo y, aunque observa cómo Cole Hacker hace virar su Morgan rumbo al estrecho paso de la entrada al puerto, a quien ve es a Carney.

A las doce y media, Charles había entrado en la gasolinera de Tom Carney, dejando el Cadillac junto a los surtidores. Un chaval moreno con los cabellos en punta había salido de la oficina.

—Llénamelo con súper —dijo Charles—. ¿Está Tom?

—Está en la oficina —le respondió el chaval.

Charles se dirigió a la oficina y abrió la puerta. Tom Carney, tres centímetros más alto que el metro noventa de Charles, estaba sentado, un poco de lado, frente a la mesa de su despacho, una mesa cubierta de recibos sobre una alfombra grasienta. Carney ya era calvo. Había perdido el cabello muy pronto. Los dos hombres habían bromeado sobre la madurez: pelos en lugares improcedentes y ni uno allí dónde debería de haber. En su adolescencia, la cara de Carney se había llenado de cicatrices a causa del acné y a veces, ahora, todavía le salían granos. Charles le había dicho a Carney que eso era una señal esperanzadora: sus hormonas aún funcionaban.

Cuando Charles entró, Carney estaba fumando y su cara era de color ceniza. Sobre la mesa había un vaso de plástico lleno de café con leche sin tocar, también de color gris. Cuando visitaba esa oficina, Charles tenía a menudo la impresión de que todo era de metal, como si la habitación y todo su contenido estuviera hecho de metal: las paredes de metal, el escritorio de metal, la silla de metal. Y eso, de algún modo, estaba provocado por el eterno olor a gasolina en el ambiente.

—Está justo ahí —le dijo Carney a Charles. Carney le indicó una carta abierta. Charles recordó entonces que Carney no fumaba, que lo había dejado años atrás. Charles cogió la carta que estaba encima de la mesa y en cuyo borde superior había un cheque sujeto con un clip. Charles leyó la frase más relevante.

Recuerda que tuvo una sensación de ahogo, como si de golpe hubieran extraído todo el aire de la habitación.

—¡Dios mío! —exclamó Charles en voz baja.

Charles había ido al colegio con Carney, había jugado a básquet con él y juntos habían llegado hasta los campeonatos regionales. Luego Charles se había ido a la universidad y al seminario, y Carney se había quedado para trabajar en la gasolinera Mobil de su padre. Ahora, Carney era el dueño. Su padre se había retirado. Así era como funcionaba el trabajo de Charles: aseguraba a sus amigos y a los amigos de sus amigos. Pero Carney se había resistido muchos años. Había tenido hijos muy tarde. Normalmente eran los hijos los que aportaban nuevos clientes.

Tres semanas antes, Charles le había enviado la solicitud de una póliza de trescientos mil dólares y Carney no le había hecho mucho caso hasta que abrió el correo del martes. El caso de Carney es lo que en la oficina central llaman una «negativa categórica».

«No es posible aceptar a su cliente por razones médicas», decía la carta. «No hay más detalles disponibles. Se abona al cliente la paga y señal junto con una carta aclaratoria.»

Charles había estado un tanto preocupado por su propio estado financiero (otro caso perdido), pero aún más seriamente por Carney. Esa clara negativa no significaba únicamente que el cliente tuviera la presión alta.

Charles observó a Carney en su oficina de metal. A través de la ventana vio al muchacho que enroscaba el tapón de la gasolina y alejaba el Cadillac de los surtidores. Los gestos del muchacho parecían coreografiados, como en un sueño.

—Tengo dos hijos —dijo Carney.

Charles sostuvo el pedazo de papel y releyó la frase. Quería decirle a Carney que seguramente se trataba de un error, pero sabía muy bien que eso no era cierto. Los análisis de sangre nunca mienten.

—Y mi mujer... Tendré que decírselo a mi mujer.

Charles dejó la carta en el mismo sitio de dónde la había cogido. Deseaba saber algo más, pero no preguntó nada. Quería decir que lo sentía, pero eso le parecía un insulto.

—¿Quieres beber algo? —dijo a Carney.

Carney estaba callado, no contestaba. Sus manos eran grandes. Siempre habían sido grandes. Con la pelota había sido rápido, genial.

—Salgamos de aquí, Tom. Por lo menos vayamos a emborracharnos —dijo Charles.

Carney tenía la mirada fija en la pared de enfrente. Movía la cabeza de un lado para otro lentamente.

—Hace cosa de cinco años tuve unos encuentros... —murmuró.

Encuentros. La palabra quedó suspendida en el aire. Era una palabra extrañamente contenida y formal en boca de Carney y no significaba necesariamente una cosa u otra, pero Charles no necesitó oír más.

Después de un largo silencio, Charles dejó a Carney en su despacho, se fue de la gasolinera. Se había ido a la tienda Qwik Stop, había comprado una caja de seis cervezas y había conducido hacia la playa cruzando el puente. Se había bebido las seis cervezas tan deprisa como le fue posible y en ayunas. Le había parecido entonces que si no hubiera intentado hacer la venta, Tom Carney nunca se hubiera enterado. Charles sabía que no era un pensamiento lógico, pero no podía evitar darle vueltas y más vueltas. Aquella tarde había pensado en Portugal, en emigrar a Portugal. Había deseado sentarse en un café al sol comiendo pulpo cocido y salchicha portuguesa y, para variar, mirar el Atlántico desde el otro lado. Dejó de asistir a dos citas.

Charles contempló cómo Medeiros se alejaba de las dunas, aliviado al quedarse otra vez solo en la playa. A Charles le gusta la playa y el puente, y conducir hasta aquí es para él como conducir hacia «la nada». Se imagina el paseo, únicamente el paseo sin su destino eventual, como un bálsamo, un respiro de los negocios en el pueblo. Y cuando a veces viene hasta aquí y está completamente seguro de que no hay nadie, se pone a cantar melodías de espectáculos, viejas canciones de su juventud; de vez en cuando, una tonada actual que ha oído por la radio y que le ha fascinado y cuya letra se ha molestado también en aprender. Le gusta su voz, es la voz de un buen tenor irlandés y ocasionalmente piensa que le gustaría cantar en el coro de una iglesia, de cualquier iglesia, por el simple placer de cantar en un coro, aunque, inmediatamente después de haber sentido este deseo, piensa que tendría que soportar el resto del servicio o de la misa y su fantasía se evapora. Así pues, canta solo. A menudo, cuando puede se trae a Winston, su perro, su labrador negro y, si consigue que arranque logra hacerlo cantar a él también con un aullido agudo, solitario, desafinado, que trae locas a las gaviotas y que casi siempre acaba con Winston saltando del coche y persiguiéndolas por el negro lodo a lo largo de la bahía y arrojándose a las heladas aguas, si es necesario.

Por esa razón se compró el enorme Cadillac, un coche suficientemente grande, pensó entonces, para él y su perro (Charles cree que cada año que pasa él crece también como si la vida misma hiciera que se inflase, aunque, excepto por la ocasional libra o dos, sabe perfectamente que esto no es posible). La compra se debía también a otras razones, todas ellas nebulosas pero de igual importancia, y la suma de todas ellas lo apremió a hacer ese ostentoso gesto tan poco característico en él. En un viaje de negocios a Milwaukee había conducido un Cadillac, y el coche le había recordado los grandes coches de su infancia, los míticos Bonnevilles y los Chevrolets de su adolescencia. Y de regreso a casa había pasado por delante del representante de Cadillac y había visto el letrero que anunciaba la oferta, había entrado aun sabiendo que, si compraba un coche norteamericano tan fastuoso, sería seriamente censurado por Harriet y por sus amigos e incluso por muchos de sus clientes, y de alguna manera eso lo había atraído no sin un poco de perversidad, aunque no tanto como el hecho de devolver el Saab, aquel eterno símbolo de yuppismo de Nueva Inglaterra.

Charles atraviesa las dunas veinte minutos más tarde que Medeiros. Cruza el puente velozmente. Sabe que en estos momentos, Harriet habrá pasado de estar simplemente impaciente a apretar los labios. Alarga la mano hacia el asiento contiguo, abre la tapa de la nevera portátil, se coloca una botella de cerveza entre las piernas. Con un gesto hábil hace saltar el tapón e ingiere un largo trago. Son las diez de la mañana, pero hoy es domingo. No pasa nada. Su alma no está en peligro. Todavía no.

Al final del puente, la carretera se bifurca. Hacia el norte hay una apretada hilera de casas baratas de alquiler frente al mar, un muro de estrechas chozas que se extienden a lo largo de la costa hasta dar con una central eléctrica al final de una playa de guijarros. A la izquierda está High Street, una calle residencial que llega hasta el puerto y el propio pueblo. Aquí las casas son más importantes: de dos pisos, casas con el marco de madera y los tejados en punta, y la mayoría habitadas todo el año. Los patios son pequeños, como una estampilla, algunos unidos como eslabones de cadena que es lo que gusta a la primera generación de portugueses y de irlandeses, y otros, bordeados por setos y vallas blancas y puntiagudas como lo prefieren sus hijos y los recién llegados.

Ahora, conduciendo por esa carretera, Charles se imagina a veces que ha habido una guerra o por lo menos una escaramuza, algo que explica el aspecto de haber sufrido un bombardeo que ofrece el paisaje, el desasosiego físico y psíquico que producen los edificios a medio construir, los anexos que nunca se terminarán y que ahora yacen cubiertos por una lona azul alquitranada, los complejos de condominios malogrados incluso antes de que se les colocaran cristales a las ventanas. En donde antes había habido casas al estilo inglés, deterioradas por el clima y rodeadas de césped, ahora se veían cimientos abandonados, carteles de prohibido el paso, horribles edificios de cemento a medio construir que echan a perder el azul del océano. Pasa por delante de una de esas esculturas cuyas vigas oxidadas apuntan hacia el cielo y piensa en Dick Lidell. Dos años antes, Charles le había vendido a Lidell una póliza por tres millones y, cuando la oficina central quiso averiguar la devolución de hacienda de Lidell, éste había reflejado cuatro millones quinientas mil en líquido. El hombre se hubiera podido jubilar. Pero en lugar de eso, los cuatro millones quinientas mil fueron a parar a esa casa Tinkertoy con sus vigas de color naranja ahí arriba de la colina, y Charles sabe que ahora Lidell está de realquilado en un apartamento de dos habitaciones.

Las historias se multiplican. Charles pasa por delante de su oficina, una modesta casa blanca con los postigos verde oscuro. Delante, suspendido a un poste de hierro forjado, se ve su anuncio: Charles A. Callahan/Agencia inmobiliaria y Seguros. Cada año, Harriet cultiva el jardín que hay alrededor del porche frontal de la oficina y cuelga en el poste del anuncio un cesta de geranios. Fue Harriet quien encontró las viejas mecedoras de mimbre en una venta de objetos de segunda mano, las restauró y las pintó de color verde para que hicieran juego con los postigos. Las mecedoras llevan ya tres años en el porche, aunque nunca nadie se siente en ellas. Odia pasar por delante de su oficina, odia pensar que mañana por la mañana tendrá que trabajar en ella. En unas semanas, el edificio será propiedad del banco. Entonces deberá trasladar su oficina a su casa, un insoportable traslado en el que no puede ni pensar.

Sabe, claro está, que aquello fue pura codicia: un pecado poco común en la juventud, un pecado sin embargo omnipresente en la madurez, o por lo menos eso le parece ahora; pero aún fue peor, o casi tan perjudicial, su negligencia, su venal temeridad.

En aquel momento, la idea le pareció a Charles un negocio seguro. Todo lo que tenía que hacer, según Turiello, era sacar el patrimonio de la oficina y luego invertir aquel dinero líquido en una participación de un tercio de un crédito hipotecario de tres millones de dólares en la propuesta del complejo de condominios-oficinas situado al otro lado del pueblo. Turiello había sido un buen cliente. La idea fue demasiado seductora para descartarla. El emplazamiento era ideal: un imponente precipicio en la carretera de la costa, visible desde muchas millas a la redonda. Si el plan hubiera salido bien, si el mercado de la inmobiliaria no se hubiera hundido, Charles, al igual que Lidell, se podía haber jubilado, y Harriet y sus hijos estarían bien acomodados. Pero la oportunidad (y ahora sabe la verdad exacta de su frivolidad) es el todo. Casi inmediatamente, el mercado había empezado a desmoronarse y ninguno de ellos, ni él ni Turiello, ni el tercer socio, Emil, un hermano de Turiello, pudieron alquilar o vender ningún local. Según los últimos cálculos, Charles debía un millón al banco. Sus ganancias en concepto de comisiones se habían reducido a casi nada y ahora, sobre la mesa del despacho, se amontona una pila de notificaciones de pólizas prescritas de casi medio pie de altura. Si el banco no vende su despacho a un precio decente, Charles está seguro de que también perderá su casa. En esos momentos, la nueva hipoteca compuesta está peligrando. Sus ahorros están casi agotados. Cuando se despierta en medio de la noche, con las sábanas empapadas de sudor, se hace la siguiente pregunta: ¿Tendrá que pagar el próximo plazo de la hipoteca con su Master Card?

A veces, en medio de la noche, Charles se permite pensar que le persigue la mala suerte, que él no tiene el don de la oportunidad, pero después, durante el trayecto que viene haciendo a diario, se da cuenta de que él no es una excepción, de que no es más que uno entre muchos otros. Podría hacer una lista de los nombres: John Blay, Emil Turiello, Dick Lidell, Pete French..., la lista es larga. Cada uno de ellos está lleno de fantasías que el viento se ha llevado y de sudores fríos en la noche. En esos momentos, todos ellos están luchando por no perder su casa.

Charles traza la última curva antes de llegar al pueblo. Ahí hay casas de color blanco o amarillo pálido con postigos negros que pertenecen al estado, mansiones cuadradas, descoloridas, con miradores y patios más grandes. Charles sabía que antaño los capitanes de los barcos las construían y las vendían más tarde a los propietarios de los molinos. Ahora sólo queda un propietario de molino ocupando una de esas casas, el resto son oficinas. Dos casas están vacías. En alguna de ellas han colocado un cartel de «Se vende». El nombre de Charles figura en alguno de ellos.

Esta ciudad nunca ha suscitado interés a los veraneantes, no es un lugar que atraiga a los Volvos ni a los Range Rovers. Es, y siempre lo ha sido, un pueblo pesquero de Rhode Island, habitado principalmente por portugueses e irlandeses que pertenecen a una clase demasiado trabajadora para mantener concurridos lugares de veraneo como los que se encuentran más hacia al sur y al oeste o a lo largo de la costa de Connecticut. La mayor parte del pueblo está por descubrir, no ha sido «yuppificado», y esto a Charles le alegra aunque no esté bien pensar así.

Pasa por delante del banco del pueblo. El banco. El edificio más grande del lugar, un impresionante bloque de piedra con unas bonitas y bien proporcionadas ventanas y dos monstruosas columnas blancas que le dan un aire de falsa solidez. Se trata de una institución excepcional. Un banco que pertenece a una familia, no a una cadena de bancos, el único entretenimiento del pueblo. Si Charles odia pasar por delante de su oficina, detesta aún más tener que acercarse a ese edificio. Particularmente aborrece el hecho de que últimamente el banco esté siempre presente en su mente. Y como de costumbre, aparta la vista de él y mira hacia la tienda de lanas del otro lado de la calle.

Al llegar al final del pueblo tuerce por la primera calle a la derecha y aparca el coche frente a la entrada de su casa. El cuentakilómetros del coche marca doscientos veinte mil. «Jesús!, ¿podrá ese viejo Cadillac recorrer otros cien más?», se pregunta.

Charles baja del coche, observa la ampliación de la casa por terminar, los cimientos sin edificio, el anexo que debería haber sido una cocina nueva para Harriet, luego, más tarde, una oficina para él y que ahora se quedará vacío, inundándose de agua de lluvia, y Charles sabe que es una locura el imaginarse a sí mismo como el depósito capaz de solucionar todos los problemas económicos, que de alguna manera todo acaba en uno mismo, ya que detrás de él está Antone Costa, luego los tres hijos de Antone Costa: uno de ellos, ya casado, dos nietos que eventualmente necesitarán unos estudios y, después de ellos, ¿quién? Está Carol Kopka, la cajera del A&P: una madre soltera con dos niños, ¿la última contratada antes de que empezaran los problemas? Y Bill Samson, el concesionario de la casa Dodge, que este año lleva un treinta por ciento de ventas menos que el año pasado. ¡Jesús, hasta Tom Carney en su gasolinera! Charles se pregunta si existe alguien que se salve de la quema.

Nada más llegar advierte que Harriet ha estado utilizando la cortadora de césped. La hierba del patio delantero ha crecido mucho con la humedad, pero la del patio posterior ya ha sido cortada. Podría poner el despacho en la parte frontal donde ahora hay un salón que raramente utilizan, pues prefieren la salita de estar junto a la cocina. Ha estado pensando en eso durante semanas y no ha llegado a ninguna conclusión. Le gusta su casa, aunque es grandiosa y poco práctica. En invierno es una nevera y la instalación de las cañerías es complicada, pero es un edificio elegante, aunque sus paredes del siglo XIX hayan empezado a arquearse. Harriet corta el césped, cuida del aspecto externo de la casa y la pinta, y lamenta que Charles no haya solucionado el problema de las cañerías, como es su obligación en su tácito pacto matrimonial.

Harriet está en la cocina peleando con una gran bola blanca de masa colocada en un bol de color mostaza. Viste su ropa de domingo: un chándal rosa y unas zapatillas deportivas, y Charles observa que todavía no se ha duchado. Sus cabellos cortos, casi negros, están todavía revueltos, y unos churretes de pintura azul surcan sus párpados inferiores. Cuando Charles entra, ella no pronuncia ni una palabra. Podría decirle que se ha encontrado con Joe Medeiros y que éste se está desentendiendo de su compromiso, lo que significará otro aplazamiento en la construcción del anexo. Esta explicación provocaría posiblemente en ella una mirada piadosa o, por lo menos, un cambio de tema, pero al verla amasando con tanta rabia decide renunciar a suscitar su compasión. Lo más seguro es que la noticia la asuste. Deja las rosquillas sobre la repisa y coloca el cartón de leche en la nevera. Pregunta:

—¿Y los niños?

Y ella contesta sin mirarlo.

—Afuera.

Coge el periódico y se dirige a una pequeña habitación junto al porche, una especie de santuario, podría llamarlo biblioteca si fuera una persona convencional, cosa que él no tiende a ser. Esa habitación podría convertirse también en un despacho, aunque es un poco pequeña y, además, Charles no quiere prescindir de su refugio.

En el suelo de la habitación se hallan unas pilas desiguales de libros que casi cubren toda la alfombra oriental que Harriet le regaló el año anterior por Navidades. Sobre uno de los libros hay una corbata que había usado unos días atrás. En una esquina hay otro par de zapatos de vestir y, por alguna razón que no puede comprender, unos tejanos tirados sobre una silla. Éste constituye otro tácito trato matrimonial: que Harriet no entre jamás en esa habitación que, en consecuencia, raras veces se limpia y casi nunca está ordenada.

Deja caer el abultado periódico del domingo sobre su escritorio, repleto de correo por abrir, de revistas a medio leer y de libros. Se quita el chándal por la cabeza y lo arroja a la silla donde están los pantalones. En una estantería hay un tocadiscos, y entre los discos escoge el segundo concierto de piano de Brahms, una pieza que escucha a menudo y de la que nunca se cansa. Le parece un concierto lleno de esperanza, casi una sinfonía, muy apropiado para la mañana del domingo, aunque las noticias de aquel día en particular no hayan sido especialmente alentadoras. Afuera, Hadley, su hija mayor, grita mientras se lanza serpenteando por los aires en un largo balanceo, agarrada a la cuerda que él le instaló en el alto castaño: un recorrido por los aires que acaba con un crujido al aterrizar sobre un montón de hojarasca. Su hijo Jack, dos años más joven que Hadley, que tiene catorce, está junto a ella y pide a voces su turno. Charles puede verlo gritar con impaciencia a través de la pequeña ventana de su estudio. Entonces se pregunta por un instante dónde andará Anna, su pequeña de cinco años, que no está con ellos, porque de lo contrario la vería o la oiría. Pero rápidamente aleja esta duda: Harriet lo sabrá, la estará vigilando. Por el momento puede relajarse.

Coge las gafas de leer que están encima de la mesa. Se las pone. Normalmente empieza con la revista adjunta al periódico: una rápida lectura del primer artículo, una ojeada a las recetas, una ojeada más larga al crucigrama para ver si es de los que él puede resolver. Esta semana, las recetas son a base de arándanos; nada interesante. Si los platos fueran italianos, españoles o indios, las estudiaría. El cocinero de la familia es él, aunque a Harriet le gusta hacer repostería, pero los niños se quejan a menudo de que lo que él guisa es incomestible. El reportaje principal trata del escándalo de los ahorros y los créditos hipotecarios. Lo leerá más tarde. Separa un pequeño fascículo del interior del periódico, el suplemento semanal literario.

Al volver las páginas piensa en un libro que ha encargado en la librería y del cual se había olvidado. Tendrá que llamar para ver si ya lo han recibido. Es un volumen de un filósofo francés, Paul Ricoeur. Ahora ya lo deben tener. Lo pidió, ¿cuándo? En julio, está seguro. A lo mejor, piensa mientras hace una lectura distraída del índice, la librería ha telefoneado, Harriet cogió el recado y se ha olvidado de mencionarlo. Y en aquel preciso momento, en medio de aquel pensamiento, vuelve la página y ve la fotografía.

Su mano se queda inmóvil. Contempla la fotografía. Extiende la hoja.

Expira el aire lentamente. Mira otra vez la foto, lee el texto que la rodea.

Se trata de Siân Richards. Claro que conoce este nombre. Es posible que otra mujer tenga este nombre, aunque lo cree poco probable. Más que el nombre, lo que le hace estar seguro es la fotografía. Es sin lugar a dudas el mismo rostro, la misma expresión en los ojos. Se lleva la mano a la cara, se acaricia la barbilla con la punta de los dedos. Baja la mano y la apoya en la mesa del despacho, sobre el periódico, y comprueba que está temblando.

Se detiene a estudiar la fotografía. La mujer de la foto tiene ahora cuarenta y cinco años, lo sabe, la misma edad que él. ¿Podría deducirlo por la foto? No puede afirmarlo con seguridad. Lleva el cabello suelto, rizado. Él lo recuerda, cuando eran niños, como de un color bronce claro, especialmente a la luz del sol, con destellos de alambre de cobre brillante, aunque en la fotografía en blanco y negro parece que esos toques de luz se hayan apagado con el tiempo. Su cara está ligeramente inclinada, ladeada de tal forma que, aunque mire directamente al objetivo, da la impresión de que está de perfil. No sonríe, su mirada es firme, seria, pero no triste. Sugiere serenidad y también, de alguna manera, parece que está a la espera de algo, aunque él no pueda imaginar en qué consiste concretamente lo que ella parece esperar. Lleva unos pendientes de oro grandes, unos simples aros y lo que aparenta ser un suéter negro o una blusa escotada como la de una bailarina de ballet. La foto está cortada justo por debajo de su pecho. Él recuerda su boca.

Una boca generosa, no lo ha olvidado.

Lee de nuevo los titulares. Es una poetisa. Ha publicado un libro.

Sostiene el periódico en el aire. Contempla la fotografía desde el otro lado de la mesa. Recuerda su frente blanca y despejada. No puede evitar la sensación de que ella lo está mirando.

¿Cuantos años han pasado ya? El número lo asombra. Recuerda con absoluta claridad la primera vez que la vio. Vuelve a dejar el periódico sobre la mesa. Lee todo el texto de letra más pequeña referente al libro de poesías. Toma nota del nombre de la editorial. En aquel momento oye un ruido, el suave roce de una tela en la madera y, al levantar la vista, descubre a Harriet en el dintel de la puerta. Está allí de pie con los brazos cruzados sobre el pecho, apoyada contra el marco de la puerta, observándolo. No parece enfadada, pero su rostro es hermético. Da la impresión de que está a punto de hablar, de que va a preguntar algo.

Podría alzar el suplemento literario y mostrarle a Harriet la foto. Podría también decirle a su mujer: nunca adivinarías quién es ésta. Sin embargo hace algo que a él mismo lo sorprende, que le hace ruborizar con una ola de calor que sube por su cuello hasta el rostro y se aloja detrás de sus orejas: se inclina sobre la mesa del escritorio con los brazos extendidos y, doblando el antebrazo izquierdo, oculta la foto de la mujer del periódico.

Aquella noche, cuando yo formaba parte ya de tus pensamientos, acompañé a mi marido a casa desde la universidad. Lo había encontrado en un bar en una esquina cerca de la fiesta. Había estado bebiendo Guiness y Bass y sobre el mostrador se hallaba una hilera de pequeños vasos vacíos de aquella mezcla. Estaba solo, sentado, y cuando me acerqué intentó esbozar una sonrisa.

—Stephen —dije.

Recogió el cambio y se deslizó desde el taburete hasta el suelo. Era un hombre delicado, melancólico, grande y musculoso. Su cabello era de un rubio claro, casi blanco, y su tez estaba bronceada como la de un hombre que se pasa el día al sol. Al lado derecho de la cara, cerca de la mandíbula, resaltaba la reluciente costura de una cicatriz.

Me permitió acompañarlo hasta el coche y conducirlo hasta casa. Durante el trayecto no pronunció ni una palabra y no supe si atribuir su silencio a su turbación, amargura o preocupación.

A pesar de las lluvias, la casa estaba casi siempre cubierta por una fina capa de polvo negro y, aunque estaba pintada de blanco, desde lejos parecía de color gris. La tierra negra se colaba por los umbrales de las puertas y por las ranuras de las ventanas. La encontraba en los cajones y en las sábanas que tendía. Aquella tierra negra era nutritiva y fértil, la más rica de la comarca pero se filtraba por todas partes, volaba por los suelos, cubría los alféizares y las repisas de las chimeneas. A veces frotaba la madera hasta desgastar la pintura.

Me dirigí al piso de arriba para ver a mi hija. Abrí la puerta de la habitación de Lily y miré de soslayo distinguiendo su diminuto cuerpo en la cama.

A continuación se encontraba mi estudio, luego el despacho de Stephen y algo más allá la alcoba que compartíamos. Stephen entró en su despacho y cerró la puerta tras él. Después de haber pagado a la canguro y de acompañarla a su casa, volví a la mía y me senté en la cocina. Me había esforzado para que aquella habitación fuera acogedora. Sobre la mesa de pino había colocado un jarrón con hortensias de color amarronado y malva. Me quité la chaqueta que llevaba sobre el vestido y la colgué del respaldo de la silla. Me descalcé, solté los clips de mi cabello y me senté.

Llovía. Caía una ligera llovizna que trajeron las nubes de la tarde y, en los cristales de las ventanas, las gotas se encendían reflejadas por los faros de un coche. Más allá del patio se podía oír aquel crujido tan particular que provocan los neumáticos al pisar la gravilla.

En aquel momento pensé que debía acudir junto a Stephen. En una relación de pareja siempre hay saldos, deudas y pagos. Pero sabía y tenía la esperanza de que se hubiera dormido en el sofá de su despacho. A menudo dormía allí.

A lo mejor, mientras estuve sentada a la mesa de la cocina rememoré algunas frases de la fiesta. Quizás estuve pensando en la mañana siguiente, en una clase que tenía que preparar. Es posible que me preguntara si alguien que me conocía de antes leería el anuncio en el periódico del domingo. ¿O me quedé simplemente ensimismada contemplando el jarrón de cerámica de superficie pulida que reflejaba como un espejo la imagen distorsionada de mi rostro?

Cuando los turistas bajaban de la montaña y descubrían por primera vez el valle, aquella tierra tan asombrosamente negra y aquel paisaje tan plano y sin relieve, creían que lo que estaban contemplando era alquitrán. Y con frecuencia comentaban: ¿será un aparcamiento?, ¿una pista de aterrizaje?

Ahora me pregunto a veces: ¿qué hubiera pasado si esta primera carta no me hubiera sido enviada, si se hubiera quedado olvidada dentro de una carpeta o sobre una mesa? ¿O si se hubiese perdido?

Todavía tengo tu camisa, pero su fragancia se está evaporando.

Hace veinte minutos que él ha regresado a su estudio y nada le parece bien. Afuera, un cúmulo de nubes que provienen del oeste ha comenzado a cubrir el sol dejando traspasar únicamente un ligero baño de luz. Los chicos están en alguna parte de la casa. Hadley, cree él, está arriba terminando sus deberes. No está seguro de dónde andan Jack y Anna. Todavía saborea el gusto del rustido de la madre de Harriet: una pata de cordero, como siempre, demasiado cocida. Hace tiempo que ha constatado que en la familia de Harriet nadie sabe guisar y que la mesa, invariablemente, tiene un aspecto miserable, incluso en el día de Acción de Gracias. Había olvidado por completo que sus suegros los esperaban a comer, hasta que Harriet se asomó al umbral de su estudio para recordárselo. Durante la comida permaneció distraído, concentrado en una sola cara.

El periódico, doblado por la página del anuncio, está dispuesto de manera que dé la impresión de que ha sido dejado distraídamente sobre la mesa. Ha encontrado una caja de tarjetones, pero duda de que le sean útiles. Está seguro de que Harriet debe de tener papel de escribir pero, por supuesto, no puede pedírselo. En cualquier caso, lo más seguro es que no sea el apropiado para esa ocasión. Tiene la vaga idea de que el papel de escribir de Harriet es del color de aquellos ovillos de hilos de azúcar de su infancia y ribeteado con cenefas. Revuelve los papeles del primer cajón de la izquierda de su escritorio. Encuentra una postal, pero la pareja de mediana edad que se encuentra frente a una casa no tiene aspecto de ser particularmente feliz. ¿Será posible que no tenga nada adecuando, simple y sencillo? Extrae una hoja azul de papel de avión. Mira el reloj. Las cuatro y cinco. ¿Habrá tiendas abiertas a esas horas?

Se pone el chándal con capucha, comprueba que el billetero esté en el bolsillo trasero del pantalón. Recoge las llaves que se hallan en la repisa de la cocina y cierra tras él la puerta de tela metálica. Harriet está rastrillando un recodo del jardín frente al anexo en forma de L. Ha empezado a recoger las primeras hojas de la temporada. Se halla de espaldas a él. Charles observa cómo se agacha y cómo barre. Lleva puestos unos tejanos y un suéter azul. Las púas del rastrillo surcan la tierra, amortiguan el sonido de sus pasos. Ella no se vuelve. Stephen duda, la observa.

Ahora la quiere más de lo que la quería antes: esto sí que lo sabe. No le gusta pensar en los primeros años de su matrimonio, cuando a veces se despertaba en medio de la noche, con el corazón latiéndole frenéticamente, asustado por el pensamiento de que tanto él como ella habían cometido un grave error. Ese miedo que, temprano por las mañanas, se le clavaba y resurgía como un palo lanzado a unas aguas turbulentas lo irritaba, y a menudo discutían Recuerda las peleas, palabras desagradables, pensó, que no se pueden borrar. Pero por aquel entonces Harriet se había quedado embarazada de Hadley, y su vida conjunta: los embarazos, los bebés, la casa y el montaje de su negocio, se había convertido en un proyecto que les confería tranquilidad, que les había vuelto más tolerantes el uno para con el otro, y él ya no se permitió volver a pensar en si había o no cometido un error. ¿Cómo podía arrepentirse de aquellas decisiones que habían desembocado en los nacimientos de Hadley, de Jack y de Anna? Para él era casi una imposibilidad física, como hacer juegos malabares, aquellos juegos que había intentado hacer varias veces a los niños para impresionarlos aunque sin conseguirlo jamás.

Observa cómo ella se agacha de nuevo para recoger una piedra. Los tejanos le ciñen los muslos. Desde el nacimiento de Anna no ha perdido los cinco kilos que deseaba perder, a pesar de las enérgicas y a veces hasta cómicas caminatas matutinas con las pesas en las manos. Él ha intentado decirle que está bien como está, lo cual es verdad, pero eso no explica la razón por la que ya no hacen casi nunca el amor. Él mismo tampoco llega a entenderlo exactamente, excepto que ahora es más difícil llegar al final del día sin que las pequeñas irritaciones cotidianas no provoquen en él un sentimiento de resignación.

También sabe que no es Harriet la que a menudo hace objeciones por las noches en el dormitorio sino que las hace él. Su mujer ha solicitado y ha aceptado siempre la vida sexual de ambos como algo habitual, incluso en aquellos primeros años, cuando entre ellos no había mucho amor. Él debería estarle agradecido, aunque a menudo comprueba que, así como Harriet está esencialmente siempre presente en la cama y en su matrimonio, él se halla distanciado y lejano.

El rastrillo en forma de abanico topa con una piedra que le dobla una púa. Siente el impulso de llamarla, de coger el rastrillo y enderezar la púa pero se contiene y en su lugar, observa cómo ella ignora la púa encorvada y arrastra la herramienta por tierra con más agresividad.

Harriet y él no se parecen en nada, y él sabe que eso fue lo que causó las tensiones en los primeros años de su matrimonio, unas tensiones que se han convertido en un ligero malestar cada vez que se encuentra a solas con ella. No hablan mucho y sabe que, a parte de los niños y de la casa, no tienen nada en común. No se trata de las diferencias obvias, del hecho de que él sea católico irlandés y ella sea congregacionalista yanqui, aunque nunca vayan a la iglesia (los niños tampoco van), o de que él se criara en una familia de clase trabajadora de Providence mientras ella pasaba su niñez en los suburbios, ni siquiera de que él no pudiera descartar del todo las viejas ideas del pecado y de la redención en tanto que para ella no era factible imaginar una vida de transgresiones y penitencias. No. Él cree que se trata de pequeñas verdades, esas realidades tan sutiles que son las que acarrean el peso más grande: que ella haga planes para un día en concreto y que nunca los altere, que jamás llegue tarde, que al final del día pueda hacer un recuento de las experiencias vividas, de las tareas cumplidas, y encuentre en ellas satisfacción, mientras que él, pierde el tiempo, se resiste al esfuerzo que requiere el rematar una tarea, piensa en sus excursiones a la playa como si fueran lo más importante del día. O la pequeña verdad de que durante todo su matrimonio ella jamás se ha dedicado a escuchar una pieza de música, nunca ha puesto una cinta en la cinta, ni un disco en el tocadiscos, y que cuando conduce prefiere el silencio a la radio. O la nimiedad (aunque no tan nimia, piensa él, más bien importante) de que crea a pies juntillas en el ritual familiar de cenar a las seis de la tarde aunque el estómago de Charles se agarrote a esa hora y no empiece a relajarse hasta más avanzada la noche. Muchas noches se dirige a las nueve a la cocina para comer un plato que él mismo guisa y, si en aquel momento entra ella, invariablemente le pregunta qué está haciendo allí.

Algunas veces, todas esas explicaciones, tanto la más trivial como la más importante, lo desconciertan. ¿Cómo puede uno permanecer con una mujer durante tantos años compartiendo aparentemente tantas intimidades (¿cuántas veces habrán hecho el amor, se pregunta, dos mil, tres mil veces?) y sin embargo sentirse como un perfecto desconocido en su presencia?

Ella no lo había oído salir de la casa pero seguro que sí oirá el ruido del coche al ponerse en marchar por lo cual la llama.

—¡Harriet!

Ella se vuelve hacia él. Su cabello está bien peinado y va maquillada.

—¿Adónde vas? —le pregunta Harriet.

—A la calle —responde—. Voy a hacer un recado.

—¿Qué recado? —pregunta ella frunciendo ligeramente el entrecejo con un pequeño gesto de preocupación.

La mente de él se agita buscando una explicación. ¿Qué recado se puede hacer un domingo por la tarde?

—Las ruedas —dice.

—¿Las ruedas?

—Me preocupan las llantas. Creo que es mejor hacerlas revisar antes de que cambie el tiempo.

—¡Ah! —exclama ella perpleja.

Charles abre la puerta del coche. Introduce la llave en el contacto. Aun sin mirarla, sabe que su mujer lo está observando mientras conduce el Cadillac marcha atrás por el camino de la entrada.

La tienda de objetos de regalo de Costa está justo después de la farmacia. Pone el intermitente para aparcar en un espacio frente a la tienda. Luego lo apaga bruscamente. ¡Jesús, ahí no puede ir! Janet Costa, la mujer de Antone, es la madre de un niño de la clase de sus hijos como Harriet y, además, es la dueña y al mismo tiempo la encargada de la tienda. Ya se imagina la conversación: el domingo vi a Charles en la tienda. ¿Charles? Estaba comprando artículos de papelería. ¿Qué artículos de papelería?

Tendrá que conducir hasta el centro comercial. En la librería que hay allí venden tarjetas postales y papel de escribir. Mira de nuevo el reloj. Es un trayecto de veinte minutos. El centro estará abierto todavía.

La 59 es la carretera que lleva hasta el centro comercial, una autovía rural con tantos restaurantes de comida rápida y tiendas de rebajas que recuerda más bien a Florida que a la costa de Nueva Inglaterra.

Pero incluso aquí la recesión ha cobrado sus víctimas. La puerta de un almacén aparece cegada por unos tabiques, los escaparates de una tienda de artículos de esquiar están vacíos con falsa nieve deslizándose todavía en cascada por los cristales. Por un momento piensa en Joe Medeiros, pero lo aparta de su mente.

La librería es pequeña y acogedora, algo insólito por tratarse de una tienda del centro comercial. Al entrar observa que la tienda está decorada a base de abundante madera y de ramas y hojas secas de Essex. Junto a una máquina de café aparece una mecedora de mimbre y, sobre las mesas y las estanterías, se hallan unos libros forrados de un material brillante. A lo largo de la pared observa varios soportes giratorios con tarjetas postales. Se dirige hacia ellos.

Hace girar lentamente el cilindro metálico. Contempla detenidamente las hileras de postales. Una joven vestida con un suéter negro le pregunta si necesita ayuda.

—Necesito papel —responde mirando a la mujer—, papel de cartas. Sencillo. Grueso.

La mujer se agacha para sacar una caja colocada en un estante inferior del mostrador.

—No tengo papel —comenta—, pero tengo esto.

Él toma la caja y la abre. Dentro hay unos tarjetones rígidos y gruesos de un tamaño parecido al de las invitaciones de boda. Debajo de los tarjetones se encuentran unos sobres que hacen juego. Son de color marfil.

—Es lo mejor que tenemos —dice la dependienta.

—Está bien —responde él—. Necesitaré también una buena pluma; si tienen, una pluma estilográfica.

Eso último se le ha ocurrido a Charles sobre la marcha. Tendrá que escribir la nota en el coche. No puede escribirla en casa.

Se dirigen juntos hacia la caja registradora. Charles entrega a la mujer una tarjeta de crédito y se pregunta fugazmente si habrá sobrepasado ya el límite, un crédito bastante sustancioso dentro de todo.

—Espere un momento —añade—; hace un tiempo encargué un libro y además necesito otro.

Indica a la vendedora los títulos de ambos libros. Añade que el segundo es un libro de poesías. Ella lo comprueba en la pantalla del ordenador, y responde que su pedido ya ha llegado y que del libro de poesías existen cinco ejemplares, recibidos la semana pasada.

—Se lo voy a buscar —dice.

Una vez el libro en sus manos, Charles examina detenidamente la portada, le da la vuelta. En la parte posterior está la misma fotografía que había visto en el anuncio. Lee la corta biografía que acompaña la foto: «Ésta es la tercera edición de libros de poesías de Siân Richards. La autora vive con su esposo y su hija al este de Pennsylvania.»

Esta última frase le parece incongruente, como si le hubieran dicho que la tierra tiene cuatro lunas o que la marea ha dejado de existir.

El puente está desierto, vacío, en un domingo a las cinco y veinte de la tarde. Aparca el coche sobre el negro asfalto. En estos momentos, la capa de nubes es espesa, como un algodón grisáceo y amarronado, y aún es más oscura detrás de él, en el oeste. Las gotas salpicarán pronto el parabrisas. La temperatura ha cambiado también: ha descendido diez o quince grados desde el mediodía. Coge el libro, lo apoya contra el volante y pasa las páginas lentamente. Alarga la mano hacia el asiento del copiloto y, a tientas, extrae una botella de cerveza de la nevera portátil. Todavía se mantiene fría. La etiqueta está húmeda.

Lee cada uno de los poemas, después cierra el libro. Lo coloca entre su regazo y el volante. Desenrosca la pluma, inserta en ella un cartucho de tinta, dibuja unos garabatos en la bolsa de papel de la librería. La lluvia empieza a caer, al principio vacilante, una lenta e irregular lluvia de gruesas gotas. Le gusta el sonido de la lluvia sobre el techo del coche, la soledad de la playa. Saca un tarjetón de la caja, lo pone encima del libro. Apoya la pluma sobre el papel.

No sabe cómo empezar. Ingiere un largo trago de cerveza; luego oye una frase, una sola frase de una canción. ¡Dios mío! Da la vuelta al libro para mirar la foto otra vez. La frase llega de nuevo hasta él, deslizándose por la arena. La canta para sus adentros, continúa cantándola pensando en cuando era niño y escuchaba una y otra vez el disco de 45 revoluciones.

Algunas imágenes invaden vertiginosamente su memoria. La cara de una niña, una frente blanca y despejada. Un vestido azul largo hasta debajo de las rodillas. Un patio empedrado.

Las imágenes y los pensamientos pasan con velocidad delante de él recorriendo la dura capa de arena salpicada ahora por la arreciante lluvia. La canción emerge de una máquina de discos de algún lugar, piensa. No puede recordar toda la letra, sólo la melodía, sólo algunos fragmentos.

Dirige la mirada al grueso tarjetón que está encima del libro.

Cavila: «No puedo hacer esto. Tengo una mujer y tres hijos y posiblemente muy pronto pierda la casa.»

Luego añade para sí: ¿Cómo no voy a hacerlo? Querida Siân, escribe.

DOS

15 de septiembre

Querida Siân:

Cuando esta mañana he visto tu foto en el periódico de hoy, he sentido la misma impresión que sentí la primera vez que te vi en el patio de The Ridge hace treinta y un años. Hoy he comprado tu último libro de poesías. Las he leído todas y más adelante les dedicaré mucho más tiempo, pero en principio me ha llamado la atención cómo el emocional y físicamente desértico paisaje que describes va adquiriendo una belleza incomparable. Una belleza nacida de la desolación. Y también cómo este tema sigue siendo válido en varios de los poemas sobre los trabajadores migratorios. Espero que tú no hayas tenido que vivir las situaciones que describes.

Felicidades.

CHARLES

23 de septiembre

Querido Charles:

Me he quedado encantada con tu carta. ¿Es posible que hayan transcurrido treinta y un años? Tengo una imagen del niño que eras entonces y en alguna parte guardo unas fotografías tuyas, e incluso una de los dos. ¿Te llamaban Cal, *o lo he soñado?*

Vivo en una granja con mi marido y mi hija Lily, que tiene tres años. Dos veces por semana doy clases de poesía en la universidad de Stryker, no muy lejos de mi casa. Gracias por tus opiniones sobre los poemas. El paisaje sobre el que escribo me es muy familiar, como lo son para mí los trabajadores migratorios.

Ahora ya sabes qué hago y cómo soy físicamente. Tengo verdadera curiosidad por saber qué haces tú y cómo eres.

SIÂN

26 de septiembre

Querida Siân:

No sé por qué motivo, pero mis hijos conservan todavía una tarjeta de identidad dorada colgando de una cadena que lleva el nombre de *Cal* en la parte anterior y en la parte posterior el de *Siân*, escrito por ti.

Estoy casado y tengo tres preciosos hijos de catorce, doce y cinco años de edad.

Me sorprende que tu hija sea tan pequeña. Creo que es porque pensé que te habrías casado más joven y que tu hija ya sería casi adulta.

Varias veces planeé una excursión en bicicleta desde mi casa hasta la tuya, pero un trayecto en bicicleta de trescientos kilómetros a través de tres estados era un poco difícil para un muchacho de catorce años. ¿Te dijo tu padre que te llamé por teléfono un año después de que ambos nos graduáramos en el colegio mayor?

Con respecto a lo que hago, te diré que tengo una agencia inmobiliaria y que vendo seguros. En este momento, digamos que no me va bien ni lo uno ni lo otro.

Para saber cómo soy tendrás que encontrarte conmigo para tomar una copa.

Gracias por no obligarme a escribirte a través de tu editorial. Sería un poco pesado.

CHARLES

15 de octubre

Querida Siân:

Estoy preocupado porque no has contestado a mi última carta. Espero que esta correspondencia no te haya decepcionado de alguna manera. Recuerdo que te vi en cuanto llegué a The Ridge. Conservo una imagen muy clara de aquel momento. Tú estabas de pie en el patio, vestida con un traje de algodón de manga corta largo hasta las rodillas. Debía ser inmediatamente después de nuestras respectivas llegadas. También recuerdo la primera vez que nos hablamos.

Éramos terriblemente tímidos el uno con el otro. De eso me acuerdo muy bien. Recuerdo ir caminando hacia el lago aterrorizado ante la idea de si tendría el valor suficiente para cogerte la mano. Creo que también te di una pulsera de oro con la inscripción «The Ridge». Recuerdo también el partido de badminton. Y naturalmente no me he olvidado nunca de la hoguera. ¿Recuerdas?

Me parece extraordinario que haya sentido lo mismo hoy mirando la foto del anuncio que cuando descubrí a la hermosa muchacha en el patio hace treinta y un años.

CHARLES

20 de octubre

Querido Charles:

No. No estoy decepcionada por esa correspondencia aunque no tengo claro hacia dónde va. Pero a lo mejor soy demasiado lineal, cuadriculada. No tiene que llegar a ninguna parte. Me imagino que simplemente girará y revoloteará sobre nuestras cabezas.

Estoy fascinada por tus recuerdos. Algún día me encantaría comparar los tuyos con los míos. Me pregunto si tú viviste aquella semana como la viví yo. Yo también recuerdo estar a tu lado. Llevo una blusa sin mangas y unas bermudas escocesas, y el cabello recogido hacia atrás en una cola de caballo. Tú estás junto a mí. Eres bastante más alto que yo y llevas el pelo cortado a lo cepillo. Esa imagen debo de haberla sacado de una fotografía. Un día de estos buscaré *todas las fotografías de nosotros, que están en mi baúl. ¡Claro que recuerdo la pulsera y el partido de badminton, y la noche de la hoguera! También recuerdo haber tenido una especie de revelación allí abajo, en la capilla al aire libre, al borde del agua: que la esencia de la religión era el amor puro y simple. Por cierto, ahora no soy religiosa. Hace veinte años que no he entrado en una iglesia, excepto para asistir a alguna boda o a algún funeral.*

Naturalmente que acudiría a tomar una copa contigo pero me temo que te llevarías una decepción. No soy ni tan interesante ni tan misteriosa como parezco en la fotografía.

Siân

23 de octubre

Querida Siân:

Ayer recibí tu carta. En el suplemento literario del domingo pasado leí la reseña de tu nuevo libro. Estuve encantado de hacerlo y creo que, en resumidas cuentas, está muy bien. Me imagino que debe ser duro tener el trabajo de uno ahí expuesto y a merced del blanco de cualquiera. Tengo que confesar que raras veces leo libros de poesía, por lo menos de poesía contemporánea. Acostumbro a leer libros de filosofía o de historia así que me perdí un poco y me quedé un tanto perplejo al leer el párrafo sobre las comparaciones con otros poetas, aunque creo que el crítico tenía toda la razón al referirse a ti como a una trascendentalista.

Recuerdo haber estado junto a ti en la capilla junto al lago. Si la esencia de la religión es el amor, y tú amas a alguien como creo que amas, entonces supongo que eres religiosa. Éstas son palabras de un ex seminarista. Después del colegio mayor entré en un seminario y permanecí dos años en él. En parte quería eludir la llamada a filas y allí recibí probablemente una educación más esmerada. Yo tampoco he entrado en un iglesia desde hace veinte años.

En un libro que leí hace poco encontré una frase sobre lo curiosa que es la evolución de la vida. Supongo que esto es lo que estamos descubriendo nosotros. Ahora sé que eres una persona interesante. La parte de ti que intuyo misteriosa podríamos presentarla si no nos viéramos, pero yo no estaría tranquilo si me sintiera ligado a un misterio.

Dime simplemente cuándo y dónde. Lo que te sea más fácil. Estoy ansioso por volver a verte.

CHARLES

28 de octubre

Querido Charles:

Me gustaría encontrarme contigo algún día, pero debo confesar que me siento un poco inquieta. Mi mayor dificultad es que me incomoda tener que planear una cita. En este momento no se me ocurre nada más que decirte que voy a pensarlo No es mi intención disgustarte, pero es que estoy un poco temerosa a causa de los dóndes y los cuándos.

Siento que tuvieras que leer la reseña del suplemento literario. Es probablemente un ejemplo clásico de una reseña «mixta», aunque no deja de ser mordaz.

Me hiciste sonreír ante la imagen de la excursión en bicicleta desde tu casa a la mía. Mi padre sigue viviendo en la misma casa en donde yo crecí, en Springfield, pero yo dejé el oeste de Massachusetts cuando partí para el colegio mayor. Fui a un colegio católico para señoritas en New Hampshire y por poco entro también en una orden religiosa del Peace Corps. Mi madre falleció estando yo en el colegio mayor. En el Peace Corps me dediqué a la enseñanza primaria en Senegal. Cuando regresé a mi país asistí durante un tiempo a una escuela para graduados y allí conocí a mi esposo. Después nos establecimos en esta granja.

¿Cómo es el lugar en que vives?, ¿cómo se llaman tus hijos?

Lamento que mi letra sea tan mala. Si lo prefieres puedo escribirte a máquina. Tu letra es preciosa. Estoy intrigada por la razón por la que tienes un apartado de correos.

Siân

1 de noviembre

Querida Siân:

Ya había pedido a la librería tus dos libros de poesía anteriores y hace cuestión de unos días llegó tu primer libro sobre África. Creo que los poemas son preciosos, no hay ni que comentarlo. Por tu poesía se filtran las mismas corrientes y cadencias pero cada uno de tus poemas constituye de alguna manera una sorpresa. También quisiera decirte, y con esto espero que no te enfades, que opino que en tu poesía se trasluce una cierta tristeza. Se percibe con más claridad en los poemas recientes: una especie de terrible soledad, creo. ¿O es mi imaginación?

Me gustaría verte sonreír. Pareces bastante seria y siento mucho lo de la reseña «mordaz».

Ya sabía que tu madre había muerto. Me lo dijo tu padre cuando hablé con él por teléfono.

Parece que nuestras vidas han seguido un curso bastante paralelo. Me refiero simplemente a la coincidencia de que ambos tenemos hijos pequeños, y de que estuvimos los dos a punto de entrar en una orden religiosa y ambos nos equivocamos. A lo mejor cuando nos encontremos descubriremos otras similitudes.

Vivo en un pueblo de pescadores de clase media tirando a trabajadora en una casa blanca y grande que necesita urgentemente varias reparaciones. Desgraciadamente soy bastante perezoso; así que las va a seguir necesitando.

Fui al colegio Holly Cross, luego al seminario en Chicago. Después me hice conductor de autobús urbano. Durante aquel período, el marido de mi hermana se mató en un accidente de coche y tuve que regresar a casa para ocuparme del negocio de mi cuñado. Después, ella se volvió a casar y se fue a Los Ángeles, y yo me quedé plantado aquí con el negocio. Lo demás, como yo digo, es historia. El pueblo en el que resido se halla a media hora de Providence, donde vivía cuando nos conocimos de niños. Mis hijos son: Hadley, de catorce; Jack, de doce; y Anna, de cinco años. Creo que cada uno de ellos es estupendo y especial.

Cuando te escribí por primera vez pensé que podríamos encontrarnos de una manera informal. Ahora, en cada carta que te dirijo tengo la impresión de que te estoy asustando. La razón por la que dejé que fueras tú la que decidieras el dónde y el cuándo fue porque sé lo que es tener un niño de tres años. Yo puedo planear la hora y el lugar y contratar a una carabina.

Prefiero que me escribas de puño y letra, y gracias por el cumplido referente a mi caligrafía. Necesito enviarte esta carta urgentemente. Tengo un apartado de correos a causa de mi trabajo. De esta manera puedo recibir el correo antes.

Leer entre líneas toma su tiempo.

He advertido que no hablas mucho de tu marido.

CHARLES

5 de noviembre

Querido Charles:

El jueves viajo a Cambridge, Inglaterra, para asistir como profesora a un seminario sobre poesía durante dos semanas. Antes de marcharme quería decirte que me encantan las cartas que me escribes, que me gustan las cosas que expresas en ellas.

Sí, a menudo soy demasiado seria, y no, no te equivocas, cuando a veces observas una cierta tristeza en mi trabajo. Éstas son peculiaridades contra las que no puedo luchar.

Gracias, pero no necesitaré una carabina.

He advertido que no hablas mucho de tu mujer.

Siân

7 de noviembre

Querida Siân:

Touché.

Marcharse a Inglaterra es una excusa buenísima para no encontrarte conmigo. ¿Para quién vas a trabajar? ¿Haces ese tipo de cosas muy a menudo?

Estoy decepcionado. Si supiera cuál es tu vuelo, iría al aeropuerto para verte partir, aunque podría ser muy frustrante.

Por favor, envíame una postal desde Inglaterra.

Seguramente la recibiré cuando ya estés de vuelta pero mándamela de todas maneras.

Ya te estoy añorando.

CHARLES

10 de noviembre

Querido Charles:

Mi avión sale dentro de unas horas pero tenía que mandarte estas fotos antes de marcharme. Por alguna razón a la que no encuentro explicación, esta tarde me ha apremiado el deseo de rebuscar por mis baúles para encontrar las fotografías que suponía allí guardadas. Te envío estas dos: la que estamos juntos en el patio y la del lago que sacamos desde la puerta de la capilla. Estoy segura de que la de los dos es del último día antes de marcharnos. ¡Qué extraordinario es lo que la memoria selecciona y lo que no! Te pareces mucho a como yo te recordaba (¿todavía guardas por alguna parte aquel maravilloso y viejo amuleto que tienes en la mano?). Yo he cambiado mucho. No me acordaba de mis bermudas ni de que mi cabello fuera tan claro, ni tampoco de que tú y yo tuviéramos la misma estatura. Tu brazo me rodea imperceptiblemente y yo soy incapaz de mirar al objetivo. Parece que esté concentrada en mis pies.

¿No crees que estas fotos son una prueba palpable de que realmente en algún momento del tiempo nos conocimos y supimos el uno del otro? ¿Qué es lo que sabíamos?, me pregunto, y ¿cómo sonaban nuestras voces?

Esta expedición arqueológica me ha ocupado casi toda la tarde y todavía no he hecho las maletas. Ahora tengo que darme prisa, pero quería que las tuvieras. Un día encontraré la pulsera. Estoy segura de que la conservo. Nunca tiro nada.

Prometo enviarte una postal.

Siân

15 de noviembre

Querida Siân:

Hoy he conducido hasta la playa para dirigir la vista hacia Portugal, pero había una neblina sobre el agua que no permitía contemplar el panorama. La verdad es que voy a la playa a menudo y miro hacia Portugal. Esta costumbre me ocupa más tiempo del que debiera.

Escribo esta carta con cierta dificultad sabiendo que estás lejos y que no la leerás por lo menos hasta dentro de una semana. Me pregunto cómo te va por Inglaterra y qué estás haciendo. Te imagino andando por una calle con un largo pañuelo atado alrededor del cuello, de camino hacia un bonito edificio de piedra en el que te esperan tus alumnos.

Tu excavación arqueológica y las dos fotos me han conmovido. Era el último día de campamento y pedimos a alguien que nos hiciera la fotos juntos. Recuerdo que mis padres ya habían llegado antes que los tuyos y que permanecían allí de pie, un poco apartados, mirándonos y ocultando apenas su impaciencia. También recuerdo que lloré en el coche durante todo el trayecto de regreso a casa y, cuando le dije a mi madre que te había regalado una pulsera de oro con la inscripción *The Ridge*, replicó: ¡Ah, sí! Y ¿dónde está *mi* pulsera?

Lo que me sucedió a mí hace treinta y un años fue amor a primera vista. No llego a comprender del todo este fenómeno e incluso estoy un tanto avergonzado de tener que recurrir a los clichés de los viejos discos de 45 revoluciones, pero puedo recordar vivamente la terrible sensación de dolor en las entrañas. Lo que no tengo tan claro es lo que me ocurrió hace dos meses cuando vi tu foto en el periódico. Ayer por la noche estaba leyendo a Paul Ricoeur y me llamó la atención una frase suya: «la realización de un propósito anterior que permaneció pendiente». Se refería a la irrupción irracional de Jesucristo en el contexto del Nuevo Testamento. Yo tiendo a recoger estos pequeños fragmentos y a aplicarlos a mi propia vida. La dificultad para mí estriba en que no puedo asimilar del todo lo que sucedió hace treinta y un años, ni ahora, el quince de septiembre, porque no tengo suficiente acceso al propósito anterior.

Esto significa que quiero volver a ver a la mujer en la que se ha convertido la niña que conocí.

El tiempo ha tomado una nueva dimensión. Sufro en mí la confusión del tiempo, pero intento comprenderlo en relación con la pérdida.

He pasado el mes de agosto con Stephen Hawking pensando en «quarks» y en agujeros negros, pero no dice nada referente a que la espera de una carta, a que el intento de borrar el paso de treinta y un años del rostro de una niña, pueda hacer que el tiempo se repliegue sobre sí mismo. Mi hija tiene ahora la misma edad que nosotros entonces, un «factor» de la física o de la naturaleza que me desconcierta.

A lo mejor sólo estoy buscando un punto de referencia.

Por ser el quince de noviembre hace más calor del que pudieras imaginar. Esta mañana temprano, cuando me dirigía a la playa, el océano era de un color azul polvoriento y el horizonte estaba cubierto por una neblina. Este mediodía reinaba un gran silencio, tanto visual como sensual, absolutamente soporífero o, por lo menos, ésta es la excusa que esgrimo para explicar por qué me he quedado medio dormido en el coche durante veinte minutos con el sol calentando el asiento delantero a través del cristal del parabrisas.

En la playa, al otro lado del largo puente de madera que conecta con la tierra firme, se pueden oír las campanas de la torre de la iglesia del centro del pueblo y a mí me gusta escucharlas mezcladas con los chillidos de las gaviotas. Incluso éstas estaban hoy medio dormidas disfrutando de esa especie de veranillo indio que ha ofrecido una tregua a una sucesión de días fríos y grises. Casi he faltado a la cita que tenía a la hora de comer.

Tú mencionas a mi mujer y yo a tu marido, y

como respuesta sólo recibimos más preguntas o silencio. Algún día quizá sea capaz de hablarte o de contarte por escrito algo sobre mi matrimonio, pero en estos momentos estoy más ocupado (y lo he estado durante algún tiempo) con el sonido de las campanas de la torre de la iglesia o con la misteriosa física del tiempo. Qué es lo que debo revelar y qué es lo que debo ocultar me causa confusión.

La misma razón por la que no puedo centrarme en mi matrimonio incide en que mi negocio se esté hundiendo. Antes tenía más capacidad para separar las cosas. Se supone que debo vender seguros e inmuebles, pero el pueblo entero está en paro y cada centavo, congelado. Podría extenderme más sobre este asunto pero no quiero enturbiar esta correspondencia. Quiero estar por encima de esa porquería: esto es lo que en realidad deseo. La verdad es que no siempre he odiado mi trabajo. Antes me gustaba charlar con la gente sobre las cosas que eran importantes para ella.

¿De dónde viene el dolor que hay en tu poesía?

Me imagino en un mercado en Cambridge comprando los ingredientes para prepararte una comida. Me gusta cocinar. ¿Estoy yendo demasiado lejos?

Ayer telefoneé a The Ridge para saber si todavía existe. Seguramente no te sorprenderá saber que se ha convertido en un hotel. A la mujer que me contestó le pregunté si tenía un folleto con una fotografía para ver cómo es ahora The Ridge. Me dijo que la única foto existente era una del edificio con la fuente. ¿Recuerda usted la fuente? Yo le dije que sí, pero que mi recuerdo más nítido era el de una niña que conocí allí treinta y un años atrás. Me dijo: ¿Se casó usted con ella? Yo respondí: No, pero debería haberlo hecho.

Ahora sí que estoy yendo demasiado lejos.

A veces pienso que los dos somos muy serios. Si quieres que deje de hablar de nosotros, dímelo. Sé que esto puede terminar en un instante.

Pero sé que tenemos que vernos. Creo que tú también lo sabes.

Te podría decir muchas cosas más, pero en realidad lo que quiero es coger tu mano.

Mientras estoy sentado aquí intentando redactar una carta que tenga sentido para ti, no puedo apartar los ojos de tu foto. En una carta me dijiste que no eres interesante ni misteriosa, pero no dijiste que no fueras bonita.

CHARLES

Londres, 16 de noviembre

Querido Charles:

Hoy me he ido a pasear por el Regent Park. Me encantaría contemplarlo en verano cuando las rosas están floridas. Estoy en Londres para dar unas charlas para mi editorial inglesa. Me han instalado en un hotel estupendo en The Strand. En el pub de abajo sirven cuaren-

ta whiskys de malta de diferentes clases. Ayer por la noche probé tres y me quedé casi postrada.

Hoy es mi cumpleaños.

Saludos,

Siân

28 de noviembre

Querido Charles:

Quiero atajar este asunto. Lo siento.

Hace mucho tiempo que nadie me decía que deseaba coger mi mano.

No te conozco, pero algunas veces creo que a través de tus cartas he sentido quién eres.

Siân

30 de noviembre

Querida Siân:

Leyendo tu última carta he recordado una historia fantástica sobre Jack y Bobby Kennedy durante la crisis de los misiles en Cuba. Seguramente ya la conoces, pero te la voy a contar de todas maneras. Yendo al fondo de la cuestión, la historia es ésta. En un momento crucial de las negociaciones, Jack Kennedy recibe un telegrama de Khrushchev, en tono conciliatorio, anunciándole que va a retirarse. Pero justo cuando Jack y Bobby se disponen a celebrarlo, Khrushchev los golpea con otro telegrama. En éste, hostil y directo, le comunica a Kennedy que ha cambiado de opinión respecto a su retirada. ¿Qué hacer? A Bobby se le ocurre una idea brillante: la de ignorar el segundo telegrama. Hacer ver que no lo ha recibido nunca, y sale inmediatamente por la televisión nacional agradeciéndole a Khrushchev su gesto tan humano que pone fin a la crisis.

Tu comentario sobre que yo desee cogerte la mano me atormentará cada vez más.

El pequeño aparato que te adjunto tiene muchas aplicaciones, aunque espero que lo utilices para escuchar la cinta que te envío con él. Perdona la calidad del sonido, pero algunas de estas canciones son tan viejas como yo. Varias de ellas han salido seguramente de una máquina de discos. Ya sé que podrías encargar una cinta similar a través del número 800 y pagarla con una tarjeta de crédito, pero no sería lo mismo. La he grabado para cuando podamos vernos de nuevo, aunque sólo sea por un momento. Mi canción favorita es *Where or When* (Dónde o Cuándo). En la cara B de este disco está *That's My Desire*, que es la que le va a la zaga. Es posible que para ti esto no tenga ningún significado. En una cara hay un espacio en blanco por un error mío. Ten paciencia. Si no te gusta, tírala a la basura.

Tenemos una mesa reservada en The Ridge para almorzar el próximo jueves a las doce del mediodía. Te incluyo en esta carta el itinerario a seguir desde tu casa.

He pensado que era injusto que nos citáramos para comer sin que sepas cómo soy, sabiendo yo cómo eres tú; así pues, te envío esta foto. No es muy buena, pero no tengo otra. Me la hizo mi hija el verano pasado cuando fuimos los dos a pescar. El pescado es una lubina rayada. El jueves al mediodía no sostendré ningún pescado y espero que tampoco me quedaré plantado con la bolsa en la mano.

CHARLES

TRES

Estaba trabajando en mi despacho cuando oí el ronroneo familiar del Jeep del cartero, el chirrido del buzón al abrirse y el golpe seco de la tapa de metal al caer. Era la señal, casi siempre lo era, para levantarme y salir de mi despacho, como si hubiera recibido una llamada de otro mundo. Lily estaba en casa de una vecina que la cuidaba por las mañanas. Stephen se encontraba en el granero trajinando con el arado.

Al salir afuera para recoger el correo noté que hacía bastante fresco y me dije que al regresar a casa me prepararía otra taza de café. En el buzón había un sobre grande de mi editor y en su interior se encontraba otro más pequeño a mi nombre. Me llevé todo el correo a casa. El sobre a mi nombre tenía el color de la crema espesa y la tinta era de color azul oscuro. Mi nombre estaba escrito con una caligrafía bonita, enérgica, grande y regular. Sencilla, nada pretenciosa. Pensé: debe de tratarse de una invitación. Recuerdo que deslicé los dedos sobre mi nombre buscando un relieve. Y leyendo la carta pensé: Cal.

Recordé a un muchacho, a un muchacho alto de dulces ojos pardos y pelo cortado a cepillo; durante semanas, incluso después de nuestro encuentro, al pensar en ti, seguía viendo a aquel muchacho.

Recordaba el lago con los bancos de madera y el crucifijo, también de madera, sin adorno alguno. También recordaba tu estatura, la anchura de tu torso desde la cintura hasta los hombros, la consistencia de tus brazos y tus piernas. En aquellos tiempos los muchachos llevabais, incluso en verano, camisa blanca y pantalón negro.

Rememoraba los bosques, un rincón de bosque bañado por la luz de la luna. Subí al piso de arriba y guardé la carta en un cajón, debajo de unos papeles, donde no pudiera verse.

Hice la comida de mi marido y lo llamé. Me puse la chaqueta y me dirigí a la casa de la vecina para recoger a mi hija. Mi vida transcurría como de costumbre. Coloqué los platos en el lavaplatos, sostuve a mi pequeña en brazos y pasé los dedos entre sus finos cabellos rubios. Stephen iba y venía y entre nosotros se sucedían unos largos silencios. Observé la tensión que reflejaban sus ojos, algo nuevo para mí. Tenía migrañas, creo que sufrió dos entre la llegada de tu carta y mi contestación.

Algunas noches después de cenar, Stephen y yo hablábamos sobre la granja y reiterábamos los viejos razonamientos. Siempre citábamos a mi padre como posible salvador de la situación, pero Stephen ya le había pedido dinero prestado y apenas le quedaba nada. Otra opción era vender más hectáreas en el caso de encontrar un comprador. Éste era el segundo año en que la cosecha fallaba: una carga verdaderamente insoportable. Stephen se había buscado otro trabajo de media jornada como instructor en una escuela de agricultura.

Después de charlar, aunque fuera brevemente, Stephen subía a su despacho y se encerraba en él. Con frecuencia lo encontraba por la mañana durmiendo allí con los tejanos y el suéter puestos.

No me importaba dormir sola: en realidad creo que lo prefería. Pero a veces, cuando despertaba a media noche y andaba por el oscuro pasillo para ver a Lily, experimentaba dentro de mí una sensación de vacío, la certidumbre de haber fracasado con Stephen, la angustia de ver mi vida determinada por aquella unión equivocada. Stephen me había necesitado para llenar su propio vacío, para mitigar la intensidad de la negra tierra y para estrechar los lazos con la granja, pero yo fui incapaz de satisfacer estas necesidades.

Stephen había sido siempre muy callado: un hombre delicado pero difícil de conocer. Un día, al interesarme por su cicatriz, aquella reluciente costura de su mandíbula, me dijo que antes de conocerme había tenido un accidente con una escopeta y que la bala le había rozado la mejilla. Pero mientras me lo contaba, desviaba la mirada y en aquel momento descubrí en su rostro algo más revelador que la propia cicatriz. Después de aquello, siempre estuve vigilante.

¿Lo había amado de verdad? Creo que al principio sí. Me había atraído su personalidad reservada, su gracia singular y, lo que creí confundiendo el silencio con el autocontrol, una atractiva dignidad. Pero ahora sé que amor es una palabra imprecisa, un término relativo. Creo que tú, a tu manera, amaste a tu mujer. Tengo la certeza de que Stephen creyó que me amaba.

Esperé una segunda y una tercera carta. Aprendí a prestar más atención a los ruidos que emitía el Jeep del cartero y empecé a aguardar la llegada de los sobres de color crema con las letras de tinta azul marino. Intenté saber quién eras y cómo eras ahora que te habías hecho adulto, pero mi imaginación no iba más allá de aquel muchacho alto y delgado con el cabello cortado a cepillo. Me llevaba tus cartas al despacho y las releía intentando extrapolar al muchacho y pensando en cómo podías ser tú ahora. Me preguntaba qué era lo que tú recordabas y cómo habías llegado a desarrollar una forma de escribir tan clara. Y por las mañanas, antes de despertarme, empecé a soñar contigo.

El día que salí hacia Inglaterra, pensé que me gustaría volver a verte después de todos esos años. Era tarde, no había terminado de hacer el equipaje y sabía que tenía que dedicarme por entero a aquella actividad.

Stephen estaba en el Colegio Mayor. Mi ropa se hallaba esparcida por la cama: suéteres y faldas, medias y una bata. Miré las prendas y me dije: tengo que encontrar las fotografías.

La buhardilla era una estancia estrecha de techo bajo en donde, de vez en cuando, yo guardaba cosas: la caja con los adornos del árbol de Navidad, los edredones de invierno y de verano, un lugar que ordenaba una vez al año. En la buhardilla no se podía estar de pie; así que tuve que avanzar en cuclillas hasta el lugar en que se encontraba el baúl. Se trataba de un baúl de madera grande y pesado que había viajado de Springfield a Dakar y había vuelto a casa para acabar en la buhardilla de esta granja. En aquella caja enorme había cartas de mi abuela, cartas perfumadas con esencia de lavanda, escritas en letra muy pequeña y en tinta de color morado. Allí había guardado las guirnaldas de flores secas de los bailes de la escuela superior, recuerdos aplastados y amarronados envueltos en papel de cera con los nombres de los chicos escritos en unas tarjetas. Había también diarios, montones de cartas atadas con cintas, figuras africanas talladas en madera negra, una fotografía de un curso escolar con un marco dorado, un retal de ropa del Senegal del que me había olvidado por completo, una fotografía ovalada de mi madre cuando era niña, fotografía que cogí y limpié pensando que Lily se parecía a ella y que la iba a colocar sobre el piano para que la niña la disfrutara.

Además, en el fondo del baúl se encontraba un álbum de fotografías que había ido rellenando cuando tenía catorce años. En él aparecieron tres fotografías de la semana que pasamos juntos tú y yo. Me he quedado con una de ellas. Estamos ambos de pie ante una fuente y una vez más me rodeas con el brazo. Pero el fotógrafo (me pregunto quién era: ¿una amiga mía?, ¿mi madre?, ¿el monitor?) nos hizo la foto en el momento en que nos echábamos a reír o en el momento en que nos apartábamos, por lo cual nuestros cuerpos y nuestras caras se dan casi la espalda. Tu brazo rodea todavía mi cintura y en la foto aparezco con los ojos cerrados y sonriendo.

A mi regreso de Inglaterra, tu carta me estaba esperando. Tuve miedo. Stephen la había dejado cerrada sobre mi escritorio. Creí que él no sería capaz de abrir una carta dirigida a mí, pero no estaba segura del todo. Aquella correspondencia no tenía justificación posible. ¿Por qué te escribía?

Te escribí diciéndote que quería acabar con aquel carteo, pero sé que guardaba la esperanza de que mi petición fuera ignorada por ti.

El paquete con la grabadora y los auriculares estaba sobre el buzón y al descubrirlo pensé que era visible desde cien kilómetros a la redonda, incluso a través de los gruesos tabiques del granero. Fui a casa con el paquete en las manos pensando: «Eso no, no quiero, no quiero que me envíe regalos.»

A la vista de la fotografía me alarmé. No te parecías en nada al muchacho que me había imaginado. Tu cara estaba vuelta hacia un lado. No podía verte los ojos. Vestías una cazadora, y tus cabellos aparecían revueltos a causa seguramente de una fuerte brisa. Podía apreciar tu gran estatura o a lo mejor, pensé, era un efecto del ángulo de la cámara. Detrás de ti se podían distinguir un faro y un acantilado.

Escondí la grabadora y los auriculares en el cajón junto con las cartas. Bajé a la cocina para preparar la comida de Lily. Me puse la chaqueta para ir a casa de la vecina a buscar a mi hija.

Todas las granjas estaban situadas frente a la tierra, como si del mar se tratara, un vasto mar de tinta. Algunas casas estaban construidas tan sólo a cinco pies de la negra tierra, como si sus cimientos emergieran de ella, de una inundación negra. Me sorprendían los colores de las casas: rosa, azul pálido y verde menta, y pensé que debían de haber sido pintadas así para alegrar el paisaje monocromático. Detrás de la mayoría de las granjas existían unos graneros de metal pintados en pálidos colores pastel y en muchos patios había ropa tendida. El día era muy hermoso, nítido, claro y frío.

En ese momento, la mayoría de los granjeros eran polacos. La granja de los Rutkowski, la de los Bogdanski, la de los Sieczek, la de los Krysch. El centro del pueblo se llamaba St. Stanislaus. Cuando conocí a Stephen pensé que la vida en la granja podía ser muy bucólica. Ignoraba lo dura que es, lo solitaria que llega a ser.

El paseo hasta la casa de mi vecina duró unos pocos minutos. Junto a muchas de las granjas se veían ristras de cebollas apiladas como langostas amontonadas. A mí me gustaban aquellos montones de cebollas a la orilla de los campos negros detrás de las casas. Eran de color rojo y oxidado y brillaban al sol con un resplandor amarillo rojizo. En la época de la cosecha los ojos le escocían a uno durante muchos días.

Las granjas no disfrutaban de mucha privacidad. Estaban abiertas a las negras planicies, un accidente geológico. Pasé delante de un viejo cementerio lleno de nombres holandeses y rebasé un granero de madera en ruinas. Fuera del alcance de la vista, al otro lado de la colina, se encontraban las casas de los trabajadores migratorios, unos edificios rasos, alargados y bajos, unos bloques de cemento gris con dos ventanas y una puerta en cada uno de ellos. Frente a estos bloques aparecía un conjunto de columpios oxidados que los niños no habían utilizado nunca.

Yo no podía abandonar ni el pueblo ni a Stephen. Tiempo atrás habíamos tenido un niño y después de su desaparición tampoco pensé en marcharme. Nuestro hijo fue enterrado en el cementerio polaco detrás de St. Stanislaus, donde nos casamos.

Lily me esperaba con la chaqueta puesta y la naricita pegada al cristal de la puerta principal. Emprendimos lentamente el regreso a casa. Lily jugaba mientras caminábamos. Recogía piedras y chapas de botella, pequeños tesoros para guardar en los bolsillos de su chaqueta. Tenía el cabello fino y claro como el de su padre, y a mí me gustaba acariciarlo.

Acosté a Lily para que durmiera un poco y bajé a hacer la colada. Stephen estaba sentado en la cocina. Había regresado temprano del granero. Todavía llevaba la cazadora puesta y se frotaba la frente como si sufriera un incipiente dolor de cabeza. Le pregunté si quería comer. Me respondió negativamente con un movimiento de cabeza. Me senté y aguardé.

—He visto un paquete en el buzón. Quería traértelo. ¿Lo has cogido?

Contesté que sí.

—¿Qué era? —preguntó.

—Más libros —respondí desviando la vista.

Él dijo: ¡oh!

Entonces decidí que precintaría de nuevo el paquete y te lo devolvería. Pensé decirte otra vez que aquello tenía que acabar. Intenté convencerme a mí misma de que las consecuencias podían ser gravísimas, que ya estaba cometiendo una traición que no sería comprendida. Pero no volví a precintar el paquete, que permaneció escondido en mi escritorio durante días; no lo toqué, ni te lo devolví.

La noche antes de que me citaras, llamaron a Stephen del Colegio Mayor reclamando su presencia en una reunión. Había acostado a Lily para que durmiera un rato. Cogí la grabadora y los auriculares del cajón de mi escritorio y me dirigí con ellos a mi alcoba. Era una habitación pequeña que la cama de matrimonio llenaba casi por completo. Yo había confeccionado un edredón blanco con cuadros de color rosa y verde para dar luminosidad y colorido a la habitación, pero aun así seguía siendo muy oscura. Sólo tenía una ventana que daba a la negra tierra y en los cristales se observaban unos churretes de polvo formados por el agua de lluvia.

Te puedo hablar del dormitorio. Ahora ya no importa.

En la mano tenía una copa de vino que me había servido durante la cena.

Me eché encima de la cama sin encender las luces. Manejé torpemente el aparato en la oscuridad, enchufé los auriculares y me los coloqué. Era la primera vez que escuchaba música con auriculares, no había experimentado nunca la sensación de que la música pareciera surgir de mi cerebro.

Escuché la primera canción y sonreí. Me traía a la memoria los bailes de la parroquia de mi niñez: oscuros gimnasios con la música a todo volumen y las melodías lentas que nos hacían soñar; los torpes abrazos de unos muchachos que a menudo eran más bajos que yo; mi rostro medio escondido a veces en el hombro de un chico más alto.

Escuché la segunda canción y me incorporé. Me reí. Pensé: esto es una especie de excavación en la memoria.

Escuché la tercera canción invadida por los recuerdos. Un beso en la nuca. Una mariposa.

A la cuarta canción rompí a llorar.

Se despierta por quinta vez y para su alivio observa, basándose en la pálida luz que penetra a través de las junturas de los postigos de la ventana, que finalmente está amaneciendo. Se revuelve sigilosamente para no despertar a Harriet, pero algo en sus movimientos, quizás un leve tirón de las sábanas, provoca que Harriet se dé media vuelta hacia él murmurando algo en sueños. Entonces, Charles siente los dedos de Harriet, una mano que se aproxima, el soñoliento y habitual gesto de acariciarlo suavemente, de despertar su deseo. Encoge el estómago y se desplaza ligeramente para quedar fuera de su alcance con la esperanza de que ella no esté todavía lo suficientemente consciente para acusar este sutil rechazo. Esa mañana no.

Contempla a su mujer en la grisácea luz del amanecer. Ella se agita en la cama boca abajo y el lazo rosa de su camisón serpentea por su espalda. Tiene la boca medio abierta apoyada contra la sábana y sus ojos permanecen cerrados todavía. Su cabello está aplastado contra su oreja, medio escondida por una almohada que cubre parcialmente su cabeza. Observa cómo duerme la mujer con la que ha convivido durante quince años, la oye respirar, y entonces tiene otra vez, como lo ha tenido en algún otro momento a lo largo de esas últimas semanas, un sentimiento de culpabilidad, como el temblor de un sedal rebosante de algas. En un archivador de la habitación que hay debajo de la alcoba hay guardadas en una carpeta seis cartas y una postal que no tienen una explicación lógica, que son, en su inocencia aparente, más traicioneras que las facturas de un hotel. A pesar de ello se resiste a ese sentimiento de culpa, sabe que no puede dejarse llevar por él. Hoy no, esa mañana no.

Se da media vuelta, echa una ojeada al despertador. Son casi las seis cuarenta y cinco. ¡Jesús! Debe de haber sido la noche más larga de su vida, y aún faltan cinco horas y quince minutos. Es consciente de que, para él la mañana ya está perdida, pendiente de una pregunta sin respuesta: ¿estará allí?, ¿vendrá? No tiene motivos para estar seguro de que acudirá. Ella escribió diciendo que quería que eso acabara, el nebuloso «eso» que habían originado sólo con palabras, y él había ignorado su petición. ¡No solamente había ignorado su petición sino que además le había enviado la maldita cinta!

Se escurre de entre las sábanas y se dirige desnudo hacia el cuarto de baño. El suelo embaldosado es como el hielo contra las plantas de sus pies, el aire es tan frío que casi inmediatamente se pone a temblar. Lo irrita constatar que, a pesar de pagar seiscientos dólares al mes de calefacción, todavía se hace palpable el aliento por las mañanas. Abre el grifo de la ducha y observa unas nubes de vapor flotando por encima y alrededor de la cortina de plástico. Su rostro desaparece de la superficie del espejo; el cuarto de baño se llena de vapor. Una vez bajo la ducha, regula la temperatura del agua para hacerla salir casi hirviendo. Se gira, agacha la cabeza y deja que el agua martillee su nuca.

Sabe que aquella correspondencia no ha sido una correspondencia inocente. Al principio intentaba convencerse de que era inofensiva, simplemente intrigante, pero sabía, incluso entonces, que desde la frase iniciadora de la primera carta no había nada inocente. Si le había escrito, como lo había hecho, diciéndole que al descubrir su fotografía había tenido la misma sensación que tuvo cuando la vio en el patio de The Ridge treinta y un años atrás, ¿qué entrañaba todo eso? Y aunque no se haya permitido pensar en Siân Richards con connotaciones sexuales, cosa que no puede permitirse a pesar de sus recuerdos de infancia y a pesar de la tentación que tiene de hacerlo, cree que provocaría que «eso» se desencadenara descontroladamente. Es consciente también de que, por muy castos que sean sus pensamientos, la situación no tiene nada de inocente. El no habérselo contado a su mujer, el haber ocultado la foto de Siân con el brazo, fue el origen de «eso». Recuerda aquel domingo por la tarde, sentado en el coche frente a la playa, haciendo varios borradores para aquella primera carta e intentando encontrar el acorde idóneo, el tono exacto, un tono entre revelador y esmerado, y recuerda cómo después de aquello esperó durante días convencido de que la carta se había extraviado en las oficinas de su editorial o de que quizá, después de todo, no había sido expedida.

Pero más tarde ella había contestado. Todavía recuerda el delicado color azul de aquella carta sorpresa, cómo tembló su mano al extraer el sobre del buzón, cómo permaneció sentado en el coche para abrir la carta, que leyó no una sino muchas veces, hasta que estuvo suficientemente sereno para poner el Cadillac en marcha y alejarse de la estafeta de correos. Su caligrafía era pequeña, apretada, con las mayúsculas extrañamente puntiagudas, y Charles tuvo que releer varias veces algunas palabras antes de poder descifrarlas. Ella había utilizado la palabra «encantada»; lo seguía llamando Cal y, al término de su carta, lo había invitado a escribirle de nuevo.

Si él sabía cómo era ella y qué profesión tenía, dijo, ¿no tendría ella que saber también cómo era él y cuál era su trabajo?

Charles recibió su carta el veinticinco de septiembre y la contestó al día siguiente. Y luego, hasta que no llegó la próxima, la espera se le hizo interminable. Iba cada día a correos esperando ver otra vez la pequeña y apiñada caligrafía. Reflexionaba sobre lo que le había escrito y estaba convencido de que algo de lo que le había dicho la había asustado. A lo mejor había sido demasiado directo, demasiado intrépido, demasiado insinuante. Un día, después de comunicarle a Harriet que tenía que desplazarse a Boston por un asunto de negocios, subió al Cadillac y condujo hasta Pennsylvania, atravesando Connecticut y Nueva York, hasta llegar al pueblo que constaba en el remite de la carta de Siân. No tenía la intención de visitarla por sorpresa; simplemente quería ver dónde vivía, como si con ello pudiera descubrir más datos que pudieran revelarle en qué tipo de mujer se había convertido. Mientras conducía tenía plena conciencia de que se estaba comportando como un adolescente, no como un hombre adulto, casado y con tres hijos, pero se sentía incapaz de autoconvencerse para no realizar aquel viaje. (Y ahora, en la ducha, piensa que a lo mejor éste era el verdadero motivo del viaje: que estaba viviendo algo que no pudo realizar siendo adolescente, la excursión en bicicleta a través de tres estados.)

El viaje a través de Connecticut y Nueva York fue estimulante. Escuchaba la cinta de Roy y tenía otra que se había comprado en septiembre, buscando siempre la canción que había oído en la playa. Se trataba de una cinta de viejos éxitos de la época que él ya denominaba «su» era, «su» era de ambos. El día era magnífico, fresco y dorado. Un día de otoño puro.

Pero la vista del pueblo de Siân lo cogió completamente desprevenido. Siguiendo las indicaciones del mapa llegó al otro lado de la frontera, y una vez en la cima de la montaña, pudo contemplar un pueblo perdido en medio de un vasto y negro desierto. Sabía por los poemas que lo que sus ojos estaban viendo tenía que ser aquella «tierra negra» sobre la que ella escribía. Si no fuera por las poesías, podría pensar que había penetrado en un mundo surrealista, que la tierra al oeste de la pequeña montaña había sido cubierta con alquitrán o que, sin saber cómo, había ido a dar con una insólita pista de aterrizaje. Descendió con cautela por la carretera serpenteante y se dirigió directamente al pueblo. Durante el trayecto sintió que la sensación estimulante del viaje se iba desvaneciendo. La luz que alumbraba aquella tierra negra era irreal, pálida, e incluso bajo el sol brillante las casas parecían desteñidas o emborronadas. Decidió que se trataba de un efecto óptico creado por la negrura de la tierra, que la luz era absorbida por la misma tierra.

En el centro del pueblecito había una iglesia católica, con un aparcamiento a un lado y un cementerio en la parte posterior. Frente a la iglesia había una hilera de tiendas: una tienda de vídeos, un bar poco atractivo con cortinas azules desteñidas en las ventanas, una agencia inmobiliaria y un restaurante, el Onion Inn. Allí comió un bocadillo y le preguntó a la camarera si podía indicarle la dirección que buscaba. Comiendo en el bar se preguntaba si sería capaz de reconocerla en el caso de que ella entrara allí de repente, si cuando sus ojos se encontraran ella lo reconocería. Durante unos días había estado imaginando variadas escenas sobre su primer encuentro después de treinta y un años. A veces pensaba que la besaría incluso antes de hablar con ella. Sentado en el bar, examina una a una todas las mujeres del restaurante, a aquellas que se encontraban sentadas en las mesas y a las que iban entrando, pero ninguna de ellas se parecía ni remotamente a Siân. Ignoraba cómo reaccionaría si aquella tarde se topaba con ella. Lo tomaría por loco si supiera que había conducido durante más de cuatro horas sólo para conocer el pueblo en que vivía. Y lo más probable es que semejante revelación la asustase. En ningún momento se atrevió a preguntar a la camarera si el nombre de Siân le era familiar.

Siguió las indicaciones de la muchacha. La carretera no era difícil de encontrar. Sólo había tres caminos para salir del pueblo. Uno al norte de los campos de cebolla, otro al sur y un tercero que parecía surcar el negro desierto como un canal. La carretera que conducía a casa de Siân era la que iba hacia el norte. Las granjas estaban situadas a lo largo de la carretera como lo están las casas a lo largo de la costa. Pasó dos veces frente a la casa antes de darse cuenta de que efectivamente aquella era la que buscaba: el número de la calle se ocultaba tras un poste del porche frontal. Era una casa de color gris con postigos negros, una granja con un ala adosada en forma de L. En el patio de delante se alzaba un viejo olmo cuyas hojas empezaban a tornarse en aquella época del año del color del fuego. Al tercero o cuarto paseo por delante de la casa constató que se trataba de la de Siân y observó unas cortinas blancas que adornaban las ventanas, un granero pintado de rojo en la parte posterior de la casa y, a un lado, un jardín con flores. Al otro lado, en la entrada, estaba aparcado un enorme tractor amarillo. Cada vez que pasaba por delante de la casa reducía la velocidad y aguantaba la respiración deseando ver a una mujer y a la vez no queriendo verla. Pero en aquel lugar no parecía haber actividad alguna, ni el mínimo movimiento detrás de alguna ventana, ni un niño jugando en el jardín, ni un hombre caminando hacia el granero. Se preguntó dónde estaría ella, qué estaría haciendo en aquel preciso momento.

Más tarde, después de recorrer todas las carreteras que salían del pueblo y después de haber visto todo lo que había por ver: principalmente otras granjas, la mayoría de las cuales estaban pintadas de extraños colores pastel que parecían borrar todo el encanto que aquellos edificios hubieran podido tener en otra época, cruzó un montículo para llegar a la universidad y pensó que la desolación del valle, por muy descorazonadora que fuera (aunque ¿era desolación o únicamente el miedo que sentía a ser tragado por aquella tierra negra?), era de algún modo tranquilizadora: si hubiese descubierto que Siân Richards vivía en un bonito pueblo, en una calle soleada, con un Volvo estacionado frente a la casa y una Motobecane de diez marchas frente al porche (o, lo que sería aún más grave, viviendo en una fortaleza impresionante en Manhattan East Side, con un portero y un Porsche aparcado en algún garaje subterráneo), ¿no se habría sentido aún más cohibido en aquel intento de cita tantas veces soñado? Y sin embargo tenía que reconocer que quizá Siân Richards era absolutamente feliz en su granja y en su matrimonio, que la desesperación que desprendía su poesía, la alusión a vidas robadas, no provenía de sus propias circunstancias, sino que era una metáfora de algo más profundo que probablemente hubiera llegado a comprender si fuera más entendido en poesía.

La universidad era pequeña pero tenía una escuela de agricultura importante. Charles llegó hasta el centro del campus atravesando unos terrenos en barbecho. Aquel día había clases y se preguntó si Siân estaría allí, dando una de ellas. No había visto ningún coche aparcado delante de la entrada de la casa de Siân. Charles anduvo por unos senderos bajo árboles desnudos y entre edificios de ladrillo rojo hasta recorrer todo el centro del campus. A su paso, unas muchachas vestidas con gruesos suéteres y unos muchachos con tabardos de colores fosforescentes se volvían a mirarlo. Él se fijaba únicamente en las mujeres más maduras que circulaban por su lado, con la esperanza y a la vez con el temor de que pudiera toparse con ella. De vez en cuando lo asaltaban recuerdos de sus propios años pasados en el Holly Cross. Al marcharse tuvo la certeza (era ya demasiado tarde para llegar a casa a tiempo para la cena, por lo que en el coche debería inventar otra mentira) de no haberse cruzado con Siân Richards, aunque para Charles era más fácil imaginarla allí, en aquel campus, que en la casa gris junto a los campos de cebolla.

Después de aquella tarde, tomó la costumbre de ir a correos tres y cuatro veces al día a la busca de un sobre azul en su casillero. Durante semanas, o por lo menos lo que a él así le pareció, no llegó nada, pero un día, finalmente, ella le escribió. La correspondencia de Siân, pensó Charles, era un tanto extraña, una correspondencia difícil de descifrar en profundidad. A veces ella se mostraba alentadora y otras, incluso en la misma carta, parecía rechazarlo. Era como una especie de juego: una señal aquí y luego una retirada. Estaba seguro de que las cartas que él le escribía no eran difíciles de interpretar. Él la impulsaba, lo sabía, incluso corriendo el riesgo de que ella se cerrara en banda por completo. Pensó que al comentarle la «horrible soledad» de su poesía había ido muy lejos, pero ella pareció no darle ninguna importancia e, incluso a veces, él creía detectar un rasgo de humor en sus cartas, como en aquella en la que recogió su consideración acerca de su marido y respondió con otra relativa a su mujer, y también cuando dijo gracias, pero no necesitaré ninguna carabina. (¿Albergó quizá la esperanza de que se tratase de una ironía, de una picardía?) Por supuesto, ella lo desconcertaba. Le había advertido que cuando la volviera a ver se llevaría una decepción. ¿Qué quería decir con «una decepción»?, se preguntó Charles durante días.

Y justo, cuando estuvo suficientemente sereno para sugerirle el dónde y cuándo del encuentro, ella le escribió diciéndole que se marchaba a Inglaterra. Entonces él cayó en una confusión irracional, propia de un adolescente. Al recibo de aquella carta pensó que podía estar completamente equivocado: aquello, otra vez aquello, el nebuloso «aquello» que ambos habían creado, que él había creado únicamente con palabras, era una mera fantasía, un producto de su imaginación. ¿Cómo era posible añorar a una mujer que ni siquiera conocía? Había conocido a la niña, a la muchacha, pero en ningún momento de lucidez podía confesar que conocía a la mujer. Y sin embargo recordaba con nitidez la noche en la que había recibido su carta, cómo había salido al patio posterior y había dirigido la vista hacia el cielo lleno de estrellas, creyendo ver en él un jet que la transportaba a Inglaterra. Y al día siguiente le escribió una carta diciéndole que ya la añoraba. Aquello fue seguramente una locura.

Pero luego hubo aquella carta con la foto, la que había encontrado y le había enviado antes de coger el avión. Aquel retrato lo había conmovido: una cosa era recordarse a sí mismo como niño, con ella como niña, y otra muy distinta era verse los dos juntos, él con su brazo alrededor de ella, ella con los ojos bajos, ambos niños claramente invadidos por una fuerte emoción; pero aún lo había conmovido más la forma en que ella se había referido a la fotografía y también el deseo irrefrenable que sintió de tener que encontrarla a toda costa. Sí, eso significaba que alguna vez estuvieron juntos y que ella, después de todo, era como él se la había imaginado. Pero, ¿no significaba también que ella había necesitado una prueba tangible?

Todo eso lo había estimulado y le escribió la carta más larga de todas, aquella en la que le decía que se había enamorado de ella nada más verla y que era muy posible que algo similar le hubiera sucedido tres décadas más tarde al ver su fotografía, que estaba reclamando una comunicación más íntima, que deseaba cogerle la mano. Y ella le había contestado diciendo que quería atajar el asunto en cuestión. No le había quedado otro remedio que seguir insistiendo a ciegas, ignorando su petición. Después de todo era un buen vendedor. Tenía que ser capaz de volver a verla.

Y a pesar de todo hoy no sabe si ella acudirá a la cita. Se había arriesgado mucho al concertar al albur una fecha y una hora: ¿Y si tenía que dar una clase? ¿Y si ya había acordado una cita en la ciudad con su editorial? De todas maneras sabe que, por lo menos, tiene que intentar encontrarse con ella, intentar que el «aquello» se haga realidad. Ya no puede concentrarse en su trabajo. Hace semanas que no se ocupa de su negocio. No puede apartar de su mente que volver a ver a aquella mujer es la misión más importante que ha de llevar a cabo y alberga la esperanza (¿o será temor?) de que al verla se serenará, que ver a Siân Richards en carne y hueso disipará las fantasías que ha ido tejiendo alrededor de su persona.

Sale de la ducha. La melodía y la letra de la canción lo siguen persiguiendo. Tararea la canción hasta el final. Ahora la tiene siempre en la cabeza, a veces como una melodía recurrente, otras veces como una clave que no ha podido descifrar del todo. Sabe que desde el mes de septiembre la ha cantado en silencio cientos de veces. Después de aquella tarde en la playa, aquella tarde cuando por primera vez sus oídos se llenaron de sus compases después de treinta y un años, mientras la iba susurrando le venían a la mente las palabras olvidadas, hasta que finalmente tuvo la suerte de encontrar aquella canción en un viejo álbum en una tienda de discos de segunda mano. Constata que está interpretada por alguien tan familiar como Dion & The Belmonts (tendría que haberlo sabido) y ahora recuerda que de aquella canción se hicieron otras muchas versiones y él ha recuperado algunas de ellas. La canción es antigua, de 1936, de Rodgers and Hart. Recuerda que de niño, durante la época en que conoció a Siân Richards, había escuchado incansablemente en el disco de 45 revoluciones aquella canción y la del otro lado: *That's my Desire*. Aquella melodía encabezó las listas de éxitos en el verano de 1960, el verano en que se conocieron en el campamento. Sin embargo, ahora se pregunta cómo es posible que aquel niño fuera capaz de interpretar su lirismo, capaz de comprender su mensaje y de experimentar el deseo que la canción despertaba. Para ello hubieran tenido que poder captar el misterio de la pérdida y del redescubrimiento, unos estados anímicos con los que, a los catorce años de edad, no es lógico que estuvieran familiarizados.

Aparte de su canturreo, percibe que en la casa hay movimiento. Harriet debe de estar ya levantada batallando con los desayunos de los niños. Se pregunta, y no por primera vez en las últimas semanas, si su mujer no ha observado su distracción. Hace días que ni come ni duerme bien. Frota el espejo para hacer desaparecer el vaho, escudriña su imagen reflejada en él. Tiene muy mal aspecto. Sus ojos aparecen sanguinolentos por la falta de sueño, la tez de sus mejillas está arrugada, por primera vez en su vida tiene ojeras. Su cabello está clareando y conserva más pelos blancos que castaños. Recuerda a aquel muchacho esbelto de la fotografía con el pelo cortado a cepillo y piensa en lo que hubiera podido llegar a ser. ¡Jesús!, ¿no le podía haber pasado eso cuando tenía treinta y cinco años, cuando aún poseía todo su cabello y su estómago era liso? Se acerca todavía más al espejo, descubre un incipiente grano debajo del pómulo. Era lo que le faltaba. Se afeita cuidadosamente y se coloca sobre el grano una tirita *Stridex*. Se lava los dientes dos veces. Había pensado ponerse el traje gris y ahora se pregunta si no será demasiado serio. No. Se pondrá el traje gris, una camisa blanca y una corbata oscura. Lo más sencillo posible.

Cuando entra en la cocina, Harriet está frente a la repisa preparando las comidas para el colegio. Hadley está muy concentrada comiéndose un panecillo. Tiene junto a ella un libro de texto abierto. De sus tres hijos, es la única que se le parece: los ojos grandes y pardos, las orejas prominentes, los dientes bien alineados, ligeramente separados, y el cabello castaño claro como lo tenía él cuando era joven. Vuelve a sentirse culpable. Otra vez las imágenes de las algas marinas en el sedal que hacían temblar su mano. Se sirve una taza de café y se sienta frente a Hadley. Le pregunta sobre lo que está leyendo. Ella lo mira y responde: geografía, un examen. Como él, Hadley ha sido siempre muy madrugadora e, incluso siendo muy pequeña, se vestía sola y bajaba a desayunar antes que los demás. Él cree que es la más responsable de los tres, aunque a lo mejor es simplemente a causa de su edad. No puede confesar que la quiere más que a los otros dos: nunca ha sido capaz de fraccionar su amor así, querer más a uno que a los otros. Su amor hacía ellos es de una sola pieza y así es como lo siente, como un calor vasto, difuso y protector que los envuelve a todos.

Harriet le pregunta qué va a hacer hoy, una pregunta que repite casi cada mañana para así poder organizar mejor su propio día, y él contesta, tal como lo ha ensayado, que irá a Boston para visitar a dos clientes y para asistir a una comida a última hora. Y mientras habla tiene la impresión de que su voz se debilita, de que las frases no solamente parecen estudiadas sino que además suenan como una mentira descarada. Él espera una señal indicadora de que Harriet ha descubierto el engaño, una ligera inclinación de cabeza, una tensión en sus hombros, pero no es así: ella se aplica, indiferente, en cortar unas rebanadas de pan para hacer los tres bocadillos que coloca luego en unas bolsas de plástico. Charles es consciente de que el rubor ha invadido sus mejillas y, al girarse hacia Hadley, se da cuenta de que la niña lo mira fijamente. Él le sonríe y bebe un sorbo de café.

—Bueno, pues me voy —dice—, voy a buscar unos papeles.

Acerca la silla a la mesa, se inclina y besa a su hija. Harriet permanece de espaldas a él. Hace años que ya no besa a su mujer al salir de casa. No recuerda muy bien en qué año fue, pero sí que recuerda con claridad la mañana en que decidió renunciar a ese ritual. Había pasado por la cocina y se encontraba frente a la puerta, cuando comprobó que era incapaz de dar los siete u ocho pasos que lo separaban de su mujer, junto al fregadero, que no podía volver a experimentar aquel consabido roce de labios apretados, de cuerpos sin tocarse apenas, como si fueran pájaros o bien unos estirados y distantes hermanos. Y extrañamente, aunque esperaba alguna señal de desagrado por parte de ella e incluso estando decidido a continuar con la costumbre si ella lo presionaba, a Harriet no pareció importarle en absoluto aquella omisión, ni siquiera se daba cuenta de que fuera del dormitorio ya no se tocaban nunca. A veces se pregunta con remordimientos qué mensajes les están transfiriendo a sus hijos con esta falta de demostraciones afectivas, pero cree que no es más que una pequeña y venial infracción paterna que ahora se siente incapaz de corregir.

Sale de la cocina y se dirige al despacho, la vieja habitación frontal, una habitación que ahora aparece inundada de papeles, de cajas por abrir y de material electrónico, una habitación demasiado pequeña para absorber todo lo que contenía el edificio que un día se llamó su oficina y que ahora ha perdido para siempre. Coge al azar un fajo de papeles y lo introduce en una cartera, que coloca bajo su brazo, y vuelve a pasar por la cocina. Descuelga el abrigo del perchero situado en un rincón y observa cómo Harriet, girándose, lo saluda con un leve gesto de la mano. Le desea un buen día y le sonríe, y él le responde: que tú también lo tengas. No vuelve a mirar a su hija.

Afuera, el día está gris, frío y húmedo, algo habitual en la primera semana de diciembre pero decepcionante para Charles, que hubiese anhelado un cielo lleno de relucientes presagios. Ha planeado el trayecto. Irá por la carretera 95 hacia el oeste y por la 7 hacia el norte, conduciendo durante tres horas escasamente. Llegará antes de las diez, pero ya está bien así. Necesita ver el lugar, pasearse por allí, serenarse antes de que ella aparezca.

En el coche pone una cinta, *la* cinta. Es una copia de la que le mandó a Siân. En su despacho tiene docenas de cintas inservibles: cintas en las que el orden de las canciones no es perfecto, en las que existen inaceptables espacios en blanco, o bien cintas con canciones que ahora no le gustaban. Al principio, aquel proyecto de trajinar con cintas lo divirtió; después se convirtió en una obsesión. Cada noche se encerraba en su estudio con el tocadiscos y el magnetófono, y escuchaba discos de 45 revoluciones que había encontrado en viejas tiendas o que extraía de sus propios álbumes. Se pasaba horas con su Sony sentado en bares tranquilos, a la caza de viejas melodías en las máquinas tocadiscos. Milagrosamente, Harriet no le había preguntado ni una sola vez qué era lo que hacía por las noches en su estudio (¿qué pensaría de la música que surgía de la habitación noche tras noche?), aunque una o dos veces le había confesado que estaba preocupada por su «nivel de estrés».

Después, finalmente, había enviado la cinta, el pequeño magnetófono y los auriculares. Fue el gesto más imprudente de todos y del que se arrepintió en el mismo instante en que observó cómo Harry Noonan, desde el otro lado del mostrador de correos, echaba el paquete dentro del saco del correo urgente. Tuvo miedo de recibir inmediatamente su devolución. Cada mañana lo aterraba llegar hasta las oficinas de correos y encontrarse con un resguardo comunicándole que había un paquete para él. Y también estaba seguro de que con aquello de enviar la fotografía en el mismo paquete —su retrato con el pescado en la mano— le iba a salir el tiro por la culata. Era una foto horrible, pero era la única en la que estaba solo, sin la compañía de sus hijos o de Harriet.

Escucha la primera canción de la cinta, *A Teenager in Love*, de Dion. En su correspondencia ha intentado transmitir un tono de despreocupación y la cinta había sido enviada con la misma disposición, aunque sospecha que, para ella, está muy claro que su vida entera depende de su respuesta. Se ha sentido como un escolar, como un muchacho, con la inocencia y los deseos de un adolescente. Pero a la vez tiene la sensación (y eso ya no lo comprende tan bien) de que ella ha estado presente durante todo ese tiempo, durante todos esos años, formando parte de su ritmo interno. Esto lo sabe porque siempre le han gustado las mujeres que se parecen a Siân: altas, de pechos pequeños y de cabellos rubios (a menudo le ha intrigado la razón por la que se casó con Harriet, que es un tipo de mujer muy distinto a esta imagen), y sabe que Siân fue la primera, «el propósito anterior» (Paul Ricoeur). Y su nombre, su nombre galés, ha flotado por su subconsciente a lo largo de los años, muchas veces cuando menos lo esperaba. Cuando estaba en el colegio mayor alternó durante un año con un muchacho llamado Shane, y a menudo se equivocaba y lo llamaba Sean, que se escribe de modo distinto, aunque la pronunciación es la misma que la del nombre de ella. También recuerda a una clienta que tuvo hace siete u ocho años, una tal Susan Wain, a la que un par de veces envió una carta que comenzaba por querida Siân, y no se había percatado del error hasta que la clienta se lo hizo notar.

También sabe que a lo largo de los años ha sentido atracción siempre por las cosas galesas, una atracción subconsciente, como si quisiera recuperar algo perdido en su niñez: unos compases de música, la forma de una habitación, el resplandor de una luz filtrándose por una ventana determinada. Recuerda haber leído no hace mucho *Colina negra*, de Bruce Chatwin, y otro libro, *The Matter of Wales*, de Jan Morris, y haber decidido que si algún día viajara por Europa empezaría por visitar Gales y desde allí se dirigiría al sur de Portugal. (Aunque cuando va a la playa y contempla el horizonte, nunca se imagina mirando hacia Gales. Piensa que está demasiado al norte.) Tendrá que preguntárselo, pero cree recordar perfectamente que el padre de Siân es galés y la madre irlandesa, ambos inmigrantes de primera generación tras la segunda guerra mundial, y cree también que Siân no tenía ningún dejo como tenía su padre (recuerda claramente el acento del padre cuando habló con él por teléfono al regresar a casa del colegio mayor: las extrañas vocales, el *crescendo*, la caída repentina en el ritmo de las frases), y mirándola (en concreto aquel primer día en el campamento y más recientemente en la fotografía del periódico) es evidente que su origen es celta. Probablemente sea la forma de la boca o la frente despejada, o quizá los ojos enmarcados por unas pálidas cejas.

Ahora suena la segunda canción, *Angel Baby*, cantada por Rosie and the Originals. Le encanta la voz gangosa de Rosie. No está seguro de que este grupo haya obtenido posteriormente mucho éxito, pero esa canción en particular tiene un ritmo lento fascinante. Después de dejar el campamento, Siân y él se escribieron durante meses. Se pregunta si Siân conserva todavía algunas de aquellas cartas: las de ella sabe que se perdieron cuando el sótano de la casa de sus padres sufrió una inundación y todo lo que había guardado en él se echó a perder. Ahora no recuerda por qué se interrumpió la correspondencia entre ellos. Sospecha que a medida que iban pasando los meses debieron de ir perdiendo las esperanzas. Entonces pensó y planeó sin descanso la forma de volver a verla, y ahora esas estrategias de adolescente le parecen cómicas y al mismo tiempo le causan tristeza. ¿Cómo podía un adolescente de catorce años atravesar tres estados para ver a su chica? En aquella edad uno era prisionero de sus padres. Por supuesto no tenía coche ni conocía a nadie que lo tuviera excepto gente de la edad de sus padres, y ninguno de ellos lo hubiera querido acompañar a Springfield, Massachusetts, desde Bristol, Rhode Island. Si se hubieran conocido a los dieciséis años de edad, entonces sí que hubiera sido posible seguir viéndose con frecuencia a lo largo de los años.

Sube el volumen de la música. Esta canción le gusta mucho: *That's my Desire*. Cada vez que la escucha aguarda con deleite el falsete final y a veces intenta imitarlo. Recuerda, como si fuera ayer, la agonía de aquella separación final e irrevocable, la espera de aquella separación durante toda la última mañana en el campamento e incluso durante todo el día anterior. Si una semana en el campamento fuera el equivalente temporal a toda una vida juntos, entonces el último día y medio tiene que haber sido igual, en el placer de cada minuto, a la totalidad de los años.

Aquella última mañana se despertó con una extraña sensación en el estómago, una mezcla de miedo, culpabilidad y una intensa excitación sexual. (¡Qué raro resulta recordarlo con tanta claridad, con mucha más claridad, que cualquier suceso más reciente del colegio mayor o del seminario, o incluso de sus primeros años de matrimonio!) Tenía un monitor (¿cómo se llamaba?) que ponía discos de 45 revoluciones en el dormitorio de los chicos. Por las noches era Johnny Mathis para calmar la acalorada psique de los muchachos y por las mañanas les hacía escuchar The Silhouettes y The Shirelles para despertarlos. Aquella mañana tocaban *Get a Job*. La noche anterior había sido una noche tormentosa, llena de pesadillas y estrategias, como las de un prisionero de guerra que estuviera planeando su fuga, la suya y la de Siân. Había pensado esconderse en el bosque hasta que todos los padres se hubieran marchado y entonces él y Siân cogerían un autobús. No tenía ni idea de adónde los conduciría, no había tenido tiempo de organizar aquella parte, y en aquel momento empezó a invadirlo el pánico: ¿Adónde irían? ¿Cómo se las arreglarían para obtener dinero? ¿Cuánto tiempo podrían ocultarse de sus padres y de la policía? Ahora, al evocar a aquel muchacho y su frenética y desesperada imaginación, sonríe.

Aquella mañana se encontraron en el comedor. Durante toda la semana se habían sentado juntos. Ella llevaba la pulsera. Siân no pronunció ni una palabra. Recuerda que ella vestía unas bermudas y una blusa blanca, una blusa sin mangas Ninguno de los dos podía comer. Ella había esparcido los huevos por el plato. Él ni siquiera había hecho eso. Estaba sentado sosteniendo el tenedor en la mano, incapaz de dirigirse a ella delante de los demás, incapaz de moverse. Sentía deseos de tocar la pulsera de su muñeca, rozar el vello de su antebrazo. A su derecha estaba sentado su monitor (¿cómo se llamaba?, un tipo alto con el pelo cortado a cepillo y con una camisa blanca de manga corta que dejaba sus músculos al descubierto). Tenían la obligación de llevar camisas blancas, eso lo recuerda. También recuerda que aquella mañana su monitor parecía exageradamente contento, y Charles (entonces Cal) había empezado a sentir un odio inmediato y eterno hacia aquel hombre.

(De repente piensa, mientras conecta el control de velocidad automático, que el monitor no era más que un joven, un chico del colegio mayor, alguien a quien ahora vería como a un niño y que en este momento ya debe rondar los cincuenta años.)

La mesa estaba cubierta por un mantel a cuadros azules y cada comensal tenía ante sí unos platos de gruesa loza blanca. Antes y después de las comidas se rezaban unas oraciones. Siân había corrido la silla hacia atrás. Charles se había quedado petrificado. Lo único que se le ocurría pensar era que nunca volverían a comer juntos y que muy pronto no volverían nunca a hacer absolutamente nada juntos. Tenía que estar con ella, a solas con ella, antes de decirse adiós.

Se puso en pie y le preguntó si había hecho la maleta. Ella contestó que sí, mirándose los pies. Recuerda que llevaba unas zapatillas deportivas sin calcetines. Aunque era alta tenía los pies pequeños. Eran unas zapatillas blancas, unos Keds blancos.

Toda la semana había estado tan cerca de aquella muchacha como nunca lo estuvo de nadie, ni de su madre, ni de su padre, ni siquiera de su mejor amigo Billy Cowan. ¿Cómo podía permitir que arrancaran a aquella persona de su lado? y, ¿por qué en aquel momento no encontraba palabras para decirle cómo se sentía, lo que deseaba?

Y entonces ella habló. Un milagro, una sutil imprudencia fruto de su emoción y de su inexperiencia:

¿quería jugar un partido de badminton?, le había preguntado. Podían dejar de ir a la capilla, por una vez, por ser ése el último día, e ir a jugar a badminton antes de que sus padres llegaran, antes de que tuvieran que marcharse. Los dos solos...

Ahora tocan *Dónde o Cuándo*. La canción (¿Su canción?). La ha grabado en el cuarto lugar, como un rotundo cañonazo. La canción está cantada casi toda ella *a cappella*. La escucha entera, rebobina y la vuelve a poner como hace casi siempre. Oye toda la grabación, quince canciones dos veces seguidas, luego apaga el magnetófono. Prefiere el silencio a la radio. No puede concentrarse en las noticias y ahora no quiere escuchar ningún otro tipo de música. Hace días que no ha sido capaz de leer un periódico ni de seguir ningún programa de televisión con un mínimo de atención, exactamente desde que vio la foto de Siân. Tiene que lograr un encuentro, aunque sólo sea para recobrar de algún modo la paz perdida.

Sigue las instrucciones del mapa, la descripción de la ruta que le enviaron desde The Ridge. El pueblo donde se halla el hotel está al noroeste de Connecticut, cerca de la frontera con Nueva York. Da con el pueblo. Conduce con el papel de las instrucciones sujeto entre el pulgar y el volante. El pueblo es el típico producto de Nueva Inglaterra y, según sospecha Charles, restaurado durante el *boom* de los años ochenta. En la ancha calle principal se hallan alineadas las casas de tres pisos del siglo XVIII, todas ellas blancas, con los postigos negros, todas retiradas de la calzada con los céspedes bien cuidados delante de los porches frontales. (La fuerza de la costumbre lo lleva a contar los carteles de «Se vende», siete en cinco manzanas.) El hotel, sin embargo, se encuentra a las afueras del pueblo, a orillas de un lago privado. Charles descubre la carretera que llega hasta el hotel justo al sur del parque del pueblo. Un discreto cartel, con letras doradas grabadas sobre una superficie de color verde indicando The Ridge con una flecha, le demuestra que ha girado en el lugar correcto. Espera que Siân descubra también aquel pequeño letrero.

Las casas se van espaciando a medida que él avanza: parece ser que el hotel está a una distancia de unas cinco millas del centro del pueblo. El día sigue siendo húmedo y nublado, aunque no tan frío como por la mañana temprano. Al atravesar el pueblo ha visto una tienda en la que venden licores y una charcutería. Después de haber localizado The Ridge quiere ir a comprar una botella de champagne, una caja de seis cervezas y un poco de hielo. La nevera portátil está en el portaequipajes. La colocó allí ayer por la noche después de que Harriet se fuera a la cama. No sabe muy bien cómo se desarrollarán los acontecimientos, pero de alguna forma se imagina a Siân y a él compartiendo una copa de champagne en los alrededores de The Ridge o quizás en su coche antes de ir a comer. Preferiría encontrarse con ella de esa manera, tomarse una copa a solas antes que verse obligado a saludarla por primera vez en el restaurante con los camareros revoloteando alrededor de la mesa.

La carretera llega a su fin y Charles se encuentra frente a un muro de piedra con una verja de hierro forjado abierta. Otro cartel dorado y verde anuncia que ha llegado a su destino. Sigue por un sendero serpenteante y empedrado con los ladrillos dispuestos en forma de espiga. A cada lado del camino se alinean a intervalos regulares unos plátanos despojados de sus hojas.

Charles sabía que antes de convertirse en un hotel o en un campamento, aquella mansión y sus aledaños habían pertenecido a un particular. Ahora recuerda que el dinero provenía, en 1920, de una fábrica de calzado y que el último propietario murió en 1950 legando la mansión a la iglesia católica. Está intrigado por saber si el hotel pertenece aún a la iglesia.

El largo sendero lo conduce a través de un espeso bosque de abedules hasta desembocar ante el espléndido panorama de la casa principal enmarcada por un laberinto de jardincillos. Charles reduce la marcha hasta detener el coche.

Todo está exactamente igual que entonces. Piensa que todo cambia, pero de alguna forma eso no ha cambiado. Es increíble, asombroso, pero la finca sigue como él la recordaba.

Arranca el coche y lo estaciona en el aparcamiento que hay junto al edificio. Se apea con dificultad, como si de pronto hubiera envejecido.

La casa es un edificio de piedra de tres pisos con sendas alas a los lados. El tejado es de pizarra de un color gris verdoso, y los postigos de las ventanas son de un color azul pálido y desteñido, tan pálido y descolorido que parecen incoloros, y Charles recuerda con una claridad que lo asombra que ya eran así entonces, cuando la finca era un campamento. En ese momento le recuerdan, ya que entonces no podían recordárselo, a los postigos de las casas de campo francesas que ha visto en cuadros y fotografías. Las alas de la casa están construidas en ángulo, de forma que rodean, abrazan, un patio frontal de piedras cuadradas cortadas a mano. El hielo y el tiempo han movido algunas de las piedras y, con buen criterio, nadie ha intentado restaurar la superficie irregular. En el centro del patio está la fuente, un pozo con una pátina de bronce y un gracioso chorro de agua en el que de niño lanzaba monedas profiriendo algún deseo.

Ni en el patio ni en la entrada principal hay nada que indique que el campamento de su memoria haya sido transformado en un hotel.

Contempla el ala oeste en la que dormían los chicos. Puede ver su habitación, la cuarta ventana de la izquierda del último piso. La compartía con otros tres muchachos. En la puerta principal aparece un camarero vestido de chaqué, saluda a Charles con un gesto de cabeza y atraviesa el patio dirigiéndose hacia una puerta situada al final del ala este. A Charles lo alcanza una ráfaga de viento por la espalda que forma, en una esquina, un remolino de hojas secas. Alguien corre una cortina en una ventana del segundo piso del ala este.

Charles se sube el cuello del abrigo azul marino y mete las manos en los bolsillos. Un fulgor, el sol a través de una nube, se desliza velozmente por la fachada de la casa y luego desaparece.

La niña llegó primero. Sus padres la acompañaban. Traía consigo una maleta de material duro que sostenía delante de ella con ambas manos. Avanzó desde el coche hasta el patio y se detuvo en el lugar que le habían indicado. Depositó la maleta en el suelo junto a ella y se quedó de pie sobre el irregular empedrado cerca de la puerta principal. Sus padres, picados por la curiosidad, la dejaron sola y se fueron a explorar los alrededores. Ella no sentía la necesidad de explorar; sabía que aquella misma noche ya conocería todo aquel lugar. Con las manos entrelazadas permaneció tranquila, observando cómo iban llegando los demás alumnos acompañados por sus padres. Vestía un traje azul, un vestido de fino algodón que le llegaba por debajo de las rodillas. Se había puesto aquella prenda ante la insistencia de su madre pero, una vez en el patio, observó que las otras niñas vestían pantalones cortos y blusas sin mangas. Su cabello, muy largo aquel verano, estaba recogido hacia atrás en una cola de caballo, pero aun así tenía calor. Era un mediodía de principios de verano y el sol se abatía con fuerza sobre el patio. En el cielo azul no había ni una sola nube. Estaba deseando que todos los padres se marcharan para ir a cambiarse de ropa. Optó por ir a nadar un poco. Le habían dicho que había un lago y una piscina, y aunque en el lago no se pudiera nadar estaría más fresca junto a su orilla.

Llegó entonces el niño acarreando su propia maleta, también, aunque era lo suficientemente alto y fuerte para sostenerla con una sola mano. Se encaminó hacia el centro del patio, seguido por sus padres. Su madre llevaba los labios pintados de rojo y unas gafas con montura blanca. Vestía un traje de cuello blanco muy ancho y parecía tener problemas con el adoquinado a causa de sus zapatos de tacón alto. Su padre era un hombre de gran estatura y de anchas espaldas, que se adivinaban bajo su chaqueta, y tenía el rostro, el cuello y las muñecas bronceadas por el sol de verano. La madre del niño encendió un pitillo y la niña pudo observar, incluso desde el otro lado del patio, una mancha roja en la boquilla del cigarrillo. La madre observaba a las demás familias reunidas en el patio y acercándose a su esposo murmuraba unas palabras, ocultando la boca con su mano enguantada de blanco. El niño seguía inmóvil en el centro del patio. Llevaba una camisa blanca con las mangas arremangadas hasta los codos y unos pantalones negros. Calzaba zapatos negros, los zapatos de vestir que se ponían los niños para ir a la iglesia los domingos, y tenía las manos metidas en los bolsillos del pantalón. La niña observó en su muñeca el destello de una pulsera de reloj plateada. En el patio había unas veinte o treinta personas más.

Cuando giró la cabeza en dirección a la niña y la miró por primera vez, ella aguantó la mirada. Él tenía unos ojos pardos de expresión dulce, un corte de cabello a cepillo y su piel estaba tan bronceada como la de su padre. Ella era consciente de que estaba pálida, de que no se ponía morena ni siquiera utilizando mucha loción bronceadora. El niño miró a la muchacha durante un largo rato y ella creyó verlo sonreír con una sonrisa tímida, nerviosa y nada estudiada. Se quedó contemplando a la niña durante tanto rato, que incluso la madre se volvió para ver qué o quién había llamado la atención de su hijo. Y cuando a su vez la madre miró de arriba abajo a la niña con insistencia, ésta acabó ruborizándose y volviendo la cabeza hacia otro lado.

Años más tarde, mirándome al espejo pensé: no puedo permitir que vea este cuerpo envejecido.

El sol de África me había quemado la piel y había dejado su huella en forma de manchas y arrugas. Mi vientre ostentaba la cicatriz de una cesárea y mis pechos eran pequeños, siempre lo habían sido, y no conservaban nada de la pubertad tras haber amamantado a mis dos hijos. Mis sienes empezaban ya a poblarse de canas.

A veces, estando contigo, sentía que mi cuerpo me traicionaba.

Al conducir hacia The Ridge puse la cinta a todo volumen para ahuyentar mis pensamientos. Cuando me detuve en el aparcamiento, la canción *Crying* anunciaba mi llegada.

Vi el edificio de postigos azules y pensé: sólo éramos unos niños.

Bajé del coche y observé la presencia de un gran auto norteamericano al otro lado del aparcamiento, un tipo de automóvil que no me era familiar y en el que seguramente no me hubiera fijado nunca. Se abrió la puerta y un hombre se apeó. Llevaba un abrigo azul marino sobre un traje oscuro. Tenía canas y su cabello escaseaba sobre la frente. La estructura ósea de su cara era elegante. Su cuerpo parecía esbelto y sus gestos, al cerrar la puerta del coche, eran pausados. Me recordó las fotografías de T. S. Eliot y de Scott Fitzgerald. Pensé: alguien de otra época, de otra década.

El hombre me dirigió una mirada. Yo volví la cara.

Allá abajo, en el lago, el viento rizaba las aguas dando la impresión de que éstas se movían como la inmensa masa de agua de un caudaloso río. El lago era de color grisáceo como el cielo. Los árboles habían perdido sus hojas.

Nos sentamos en el banco de madera, uno junto al otro, con nuestros abrigos puestos, y contemplamos cómo se mecía el agua. Y aquel día ambos tuvimos la sensación de que lo que veíamos era el tiempo.

A las doce y un minuto del mediodía, el pequeño coche negro —un Volkswagen Rabbit— aparece por el camino. El coche ejecuta lo que parece ser una maniobra estudiada para acceder al aparcamiento y se para en seco. Se trata de un VW que debe tener unos cinco años. Al volante se encuentra una mujer. Una mujer de su misma edad que posee, cree él adivinar, un hermoso perfil. El corazón le da un vuelco. Pero por sus rápidos movimientos al apearse del coche y cerrarlo de un portazo deduce que se trata de alguien que trabaja ahí, probablemente la recepcionista. Abre la puerta de su coche y se vuelve hacia el VW; inmóvil contempla cómo el rostro y el cuerpo de la mujer van evaporándose al alejarse a pasos rápidos. Lleva un abrigo negro, sobre lo que parece ser un traje de chaqueta, y tiene puestas unas gafas de sol a pesar de que el día está nublado. Observa que lleva zapatos de tacón y un bolso en bandolera. Su cabello, en cambio, podría tener aquel mismo color, un rubio ceniza con toques rojizos, y forma también un recogido en la nuca. Quizá sea ella, piensa. Ve cómo se dirige hacia la entrada principal del hotel y desaparece dentro del edificio.

La pesada puerta se abre sobre un gran vestíbulo decorado con mosaicos a cuadros blancos y negros y en el centro de la estancia nace una escalera de madera muy pulida. Charles recuerda ahora aquella escalera: al pie de sus anchos escalones se reunían cada noche antes de ir a dormir los muchachos y los monitores para lo que llamaban «los cánticos de la escalera».

Charles abre unas enormes puertas de cristal de estilo francés, que se hallan a la derecha del vestíbulo, y tras éstas aparecen unos amplios salones vacíos. Entonces recuerda que el comedor está arriba, y en aquel momento un tintineo que se desgrana por la escalera acaba de refrescar su memoria. Sube la escalera apoyándose en la barandilla. Siente como si tuviera un nudo en la boca del estómago.

Al llegar al rellano observa que el lugar está decorado a base de cobre y madera, de gruesas capas de pintura blanca, de unos enormes ramos de fresias y azucenas, y que a sus pies se extiende un alfombra oriental de tonos rosa. Un hombre bajo y delgado, vestido de esmoquin, lo ayuda a desprenderse del abrigo. Cuando Charles, agradecido, se da la vuelta para sacar el brazo de la manga del abrigo la descubre de pie junto al mostrador donde se halla el *maître*. Ella lo está mirando, indecisa, sin hacer ningún gesto o señal que pueda comprometerla. Viste un traje de chaqueta negro con una blusa blanca, una blusa de seda con sutiles pliegues en el escote. Charles observa los huesos de sus clavículas y una cadena de oro muy fina alrededor de su cuello. Todavía lleva las gafas de sol, pero Charles reconoce los pendientes de oro, unos sencillos aros dorados colgados de sus lóbulos.

—¿Siân?

Al pronunciar su nombre, su voz se quiebra ligeramente como si no hubiese hablado en mucho tiempo. Se aclara la garganta.

Ella vuelve la cabeza.

—¿Charles?

Se quita las gafas para que él la pueda ver mejor. Sus ojos son de color azul marino con manchas doradas, y en aquel momento Charles recuerda que en su día ya advirtió el contraste asombroso de sus ojos oscuros con su piel blanca. Descubre algunas arrugas en los extremos y debajo de sus ojos, pero su frente es lisa, despejada, blanca y tersa. Contempla largamente su boca.

—Iba a ponerme la pulsera para que me reconocieras —dice ella—, pero se me ha hecho tarde y no la he encontrado.

Sonríe sin despegar los labios y vuelve a ladear la cabeza con un gesto de interrogación como esperando una respuesta. Con los zapatos de tacón parece muy alta, casi tanto como él. Charles cree que debe de medir alrededor de un metro setenta y cinco, y unos ocho centímetros menos descalza. Lo deduce por la longitud de sus piernas. Viste una falda sencilla, lisa y recta por encima de las rodillas.

Pero su voz es nueva para él, como debe de serlo la suya para ella. En lo que se refiere a las voces, ambos son unos perfectos desconocidos el uno para el otro. Charles se pregunta si cuando la conoció ya había cambiado la voz o quizá la empezaba a cambiar aquel verano. La voz de la mujer es más profunda de lo que él esperaba. Habla despacio.

—No hubiera necesitado la pulsera —dice Charles.

Le parece que ella sonríe de nuevo y que mira de reojo al *maître* que está esperando detrás de Charles. Éste comprende que ha de recobrar la serenidad y hacerse con las riendas de la situación. Le indica al hombre su apellido y respondiendo a su pregunta elige una mesa en la sección de no fumadores. En aquel momento no sabe si ha estado acertado y se vuelve hacia ella. Siân asiente con la cabeza. Charles recuerda que su madre fumaba en el coche con las ventanillas herméticamente cerradas. Espera a que Siân guarde las gafas de sol en el bolso. Entonces ella saca otro par, de cristales transparentes y fina montura de metal, y se las coloca. Charles ignora que ahora lleva gafas e intenta recordar si las usaba cuando eran niños. Cree que es posible que ya las necesitara entonces, pero nunca se las ponía.

La sigue a través del comedor con la respiración entrecortada y el corazón latiéndole a trompicones. Al pasar junto a las otras mesas los comensales observan a Siân, como lo hace la gente al ver a una mujer de destacada estatura. El *maître* los conduce hacia una banqueta adosada a la pared. Separa la mesa de la banqueta y pide a Siân con un gesto que tome asiento. Charles se sienta a su lado girando el cuerpo ligeramente hacia ella. Pone el brazo sobre el almohadón de la banqueta. Siân parece sentirse incómoda. Cruza las piernas. Su falda se arremanga hasta la altura del muslo. Charles se atreve a mirar de reojo el espacio que queda entre la rodilla y el borde de la falda. Las medias son transparentes y de color oscuro. Charles pide un Martini Stoli con vodka muy seco y por un momento quisiera inyectárselo. Ella desea una copa de vino.

—¿Sabes, aquella cinta? —comenta Siân—, al principio no la quería. No quería que me enviaras nada. Pero finalmente ayer por la noche la escuché. Fue como...

Se calló incapaz de encontrar la palabra adecuada.

Charles aguarda unos segundos y, al ver que no termina la frase, dice:

—Te la envié con la intención de que no tuviera ninguna trascendencia, como una broma o algo así.

Charles piensa que posiblemente aquel envío haya sido intrascendente, pero en el fondo sabe, y ella también, que su verdadera intención era alcanzar algo más importante, mucho más profundo.

—Hace años que no había oído ninguna de esas canciones —dice ella—. Fue algo así como... —se lleva la mano a la cadena de oro que rodea su cuello—, como una excavación en la memoria. Por lo menos yo lo sentí así.

Siân dirige la mirada hacia el suelo como si ya hubiera dicho demasiado.

—Esto es muy extraño —añade.

—Sí que lo es.

—¿Puedes recordarlo? ¿Qué es lo que recuerdas?

—Recuerdo algunas cosas —dice Charles—, algunas con verdadera nitidez, otras, en cambio, desdibujadas.

Se acerca un camarero con las bebidas. Charles coge su vaso, agita el hielo y da un sorbo. Observa cómo ella se lleva el vaso a los labios, se detiene y lo mira. Luego levanta el vaso.

—¿Por...?

—Por nuestros encuentros —añade él sin titubear.

—Por el tiempo que pasa —añade ella con la misma rapidez.

Charles asiente con la cabeza y sus ojos se encuentran con los de ella al beber ambos simultáneamente de sus vasos. Al terminar, Charles añade armándose de valor:

—Por los próximos treinta y un años.

Ella parece perpleja, como si aquellas palabras no admitieran contradicción.

Recorre el lugar con la mirada.

—Me sorprende —dice— que esto no haya cambiado nada. Creí que lo encontraría diferente.

Charles contempla su perfil, el mismo que acaba de vislumbrar en el coche. Siempre le ha chocado lo mucho que se puede saber de una persona con sólo mirar brevemente su perfil. Se puede adivinar fácilmente la edad, también el peso y a veces la raza, la ascendencia étnica. El perfil de Siân es un perfil clásico, pero Charles opina que su belleza no es una belleza clásica y cree que seguramente no lo fue nunca. La frente es demasiado alta y las cejas demasiado pálidas, y sin embargo está seguro de que nunca ha visto una boca tan llamativa. Ignora si esto se debe a que durante todos estos años ha recordado aquella boca y su recuerdo ha sido la referencia para todas las demás. ¿Pensaría igual si la viera hoy por primera vez? Siân tiene un cuello largo y blanco. Mirándola de cerca puede observar que en la piel del dorso de sus manos y de su escote hay unas pequeñas manchas que parecen pecas, aunque no lo son. Lleva las uñas cortas y sin pintar y, como él, luce un anillo de casada.

Charles empieza también a mirar a su alrededor. A un lado hay unos grandes ventanales, desde el techo hasta el suelo, y recuerda perfectamente que se abren sobre un montículo cubierto de césped que desciende hasta el lago. Esos ventanales forman un arco en su parte superior permitiendo la entrada a una luz difusa que se esparce por toda la sala. Los techos son abovedados, con descoloridos querubines de mosaicos de color azul y amarillo melocotón. Ahora recuerda que a la hora de cenar hacían bromas acerca de aquellos querubines desnudos. De niños comían en las mesas del refectorio, ocho, diez y doce niños por mesa. Las patas de las sillas rayaban el suelo. Ahora hay unas banquetas apoyadas a lo largo de la pared sur, unas mesitas cubiertas de mantelería blanca adamascada y unas sillas tapizadas de seda a rayas rojas y blancas. En el centro de cada mesa reposa un jarrón con delicadas flores, también de color blanco.

—¿Crees que la comida será buena? —pregunta Siân.

—No puede ser peor que la que comimos la última vez que estuvimos aquí.

Siân sonríe.

—A pesar de todo creo que se trataba de un campamento de categoría —dice Charles—. Y tal como suelen ser los campamentos...

—Sí, es verdad —dice ella—, aunque entonces no sabíamos apreciarlo.

—Yo no creo que en aquella época me fijara mucho en las cosas —dice Charles—, excepto en ti, claro.

Levanta su mano de la banqueta y la pone suavemente sobre el hombro de ella, el hombro que tiene más cerca, y nota que el cuerpo de Siân se tensa. Aquel contacto resulta para él trascendental, de una gran carga, el primer contacto físico desde la última vez que la vio. Claro que ella es una desconocida para él, una mujer a la que acaba de conocer, y sin embargo está seguro de que a la niña que fue la conoce desde siempre.

Retira la mano.

Se pregunta por unos momentos si ella es reacia al amor físico y luego, casi simultáneamente, tiene otro pensamiento, uno muy poco agradable: la forma de medir el tiempo perdido, los treinta y un años, la equivalencia proporcional de la suma total de todas las experiencias sexuales que haya podido tener, todos los novios, todas las noches compartidas con su marido. Este pensamiento lo hiere, lo hace sentirse tan mal, tan ido, que cuando ella le habla le ha de rogar que repita sus palabras.

—Cuéntame algo de tu mujer —repite ella alargando la mano hacia el centro de la mesa para alcanzar su vaso como para dar un sorbo.

Charles no reacciona; está aturdido todavía por los pensamientos anteriores. Analiza la pregunta y cree comprender que obedece a la mano sobre el hombro. Apura el vodka, mordisquea la corteza del limón.

—Es morena y tiene el pelo corto —dice. Vacila, se

siente perdido—. Es una buena persona —añade con poca convicción.

—¿La quieres?

Él hace una pausa. Ha de contestar honestamente No puede mentir. Tiene la sensación de que si miente ella lo va a notar. Hace girar en su vaso los cubitos de hielo y la corteza de limón.

—La quiero más ahora que antes —dice lenta y deliberadamente.

Ella acerca el vaso a sus labios y parece reflexionar sobre aquella respuesta. Cuando él la mira, se abre entre los dos un mundo lleno de imágenes: cuando ambos eran niños, la foto que ella le envió, la muchacha que fue a los diecisiete años, la mujer que fue a los veintiocho y a los treinta y cinco años, ella abrazada por otro hombre (¿su marido?); su marido, del que nada sabe, tiene seguramente más cabello que él y es posible (Charles hace una mueca para sus adentros) que tenga también menos estómago. Se la imagina echada sobre una cama con el cabello suelto. Ahora la ve amamantando a un bebé. Las imágenes se desvanecen entremezclándose. Se siente mareado; hace una señal al camarero para que le sirva otro vodka.

—¿Quieres otro vaso de vino? —le pregunta y se sorprende al ver que ella, apurando el que le queda, responde afirmativamente con un gesto.

—Es duro asimilarlo todo, ¿verdad? —dice ella balanceando ligeramente la cabeza como si no pudiera asumir la realidad, como si, al igual que él, casi no pudiera creer que ha estado viva durante treinta y un años y mucho menos que conozca a alguien desde hace tantos años, aunque lo cierto es que en realidad no se conocen, piensa Charles.

Echa una ojeada a los demás comensales del restaurante: hay una mesa de hombres de negocios y varias mesas con parejas. La mayoría de ellas están formadas por personas mayores. El camarero les ofrece la carta y recita las especialidades del día. Charles lo escucha con atención y Siân también lo hace, pero él no puede retener ni una sola palabra. Tampoco podrá leer el menú: se ha dejado las gafas en el coche.

—¿Tienes hambre? —le pregunta él cuando el camarero se aleja.

Ella niega con la cabeza.

—Tenías razón —dice Charles—, no te pareces a la fotografía del periódico.

Parece turbada.

—Creo que intentaban sacarme más interesante y más atractiva de lo que soy en verdad —confiesa haciendo un gesto con la mano.

—Esto no es lo que yo quería decir —responde Charles—. Quería decir que así, en persona, me resultas más familiar que en la foto. Me resultas muy familiar.

Ahora deja de mirarlo y observa al camarero que se encuentra al otro lado del comedor.

—¡Oh! Casi me olvidaba —exclama Siân—; he traído algo. Lo he encontrado en el baúl junto a las fotografías.

Se inclina para coger su bolso, una cartera de cuero negro con una correa muy larga. Lo abre y extrae la fotocopia de un folleto; unas cuantas hojas unidas en un extremo por una grapa. Se lo entrega a Charles.

—Es una especie de folleto que nos dieron el último día de campamento. Consta de un breve historial de todo lo que hicimos durante aquella semana y al final hay un listado con las direcciones de los campistas y de los monitores.

Charles hojea rápidamente el librillo y observa por segunda vez la portada con aquella cruz dibujada a mano en cuya parte superior están inscritas las palabras *The Ridge* y debajo las fechas de su asistencia. Charles deja el folleto sobre la banqueta, entre los dos.

—Me he olvidado las gafas de leer en el coche —dice.

—Es curioso —comenta ella—, pero no he reconocido ni un sólo nombre excepto el tuyo.

Tiene los párpados algo caídos, un ligero reflejo de las gafas oculta el punto azulado de sus ojos y los hace aparecer casi como del color del carbón. Lleva muy poco maquillaje, por lo menos hasta donde él puede distinguirlo, y en sus labios hay sólo un atisbo de una suavísima y oscura sombra rosada. Charles es consciente de que debería preguntarle por su marido, como ella le ha preguntado por su mujer. Hay cosas de su matrimonio que quisiera saber, aunque no necesariamente a través de ella. No desea oírla hablar de su marido, hoy no, ahora no.

—Desde luego no pareces la esposa de un granjero —dice alegremente.

Ella ríe por primera vez.

—Bueno, tu tampoco pareces un vendedor —replica ella.

—¿Cómo son los vendedores? —pregunta Charles. En realidad quisiera preguntarle lo que opina de él: ¿ha envejecido irremediablemente? ¿Se ha llevado una decepción? Pero naturalmente no puede hacerle estas preguntas.

Ella vuelve a dirigir la mirada hacia el folleto con la cruz en la portada.

—No recuerdo que nos empaparan de mucha religión aquella semana —dice—; al pensar en ello resulta extraño. Sólo recuerdo aquella especie de revelación sobre la cual te escribí y aquellas misas junto al agua, nada más. Por lo menos en mi memoria no consta que fueran muy católicos ni muy fanáticos. Estaban más integrados con la naturaleza que con Dios.

Él le da la razón. Recuerda a un sacerdote, un hombre alto de aspecto atlético con el cabello negro muy espeso, el padre no sé qué. ¿El padre qué?, un cura que hacía o las veces de profesor de natación. Los demás eran monitores laicos. Ni una sola monja.

—¿Cómo se llamaba el sacerdote? —pregunta Charles.

Ella se queda pensativa durante unos minutos.

—¿El padre Dunn? —pregunta, dubitativa.

Él sonríe.

—Gracias, es verdad. Fueron muy moderados con la religión, a Dios gracias. Actuaron sabiamente.

—Recuerdo que había una piscina, pero no la he visto todavía.

—Podemos ir a dar un paseo —propone Charles.

Ella cambia ligeramente de postura alejando su hombro, como si no quisiera aceptar la sugerencia.

—Tampoco pareces una poetisa —dice Charles—, aunque en realidad no sé muy bien cómo se supone que debe ser una poetisa.

La mano de Siân descansa sobre la banqueta, allí entre los dos. Él la cubre con la suya.

Nota que la habitación gira durante unos segundos como si ya estuviera borracho.

—¿Te disgusta? —inquiere Charles. Ella hace un movimiento con la cabeza sin mirarlo.

Permanecen sentados allí durante unos minutos. Ella parece no querer retirar la mano; él es incapaz de retirar la suya. Charles siente el calor de la mano de Siân bajo la suya, aunque sólo la está rozando. Ve al camarero que se encuentra al otro lado del comedor. Si se le ocurre acercarse a ellos, es capaz de matarlo.

Ella habla de nuevo; su voz es profunda y Charles no está seguro de haber captado sus palabras con exactitud.

—Cuando me escribiste diciéndome que deseabas cogerme la mano...

Charles aguarda pausadamente el final de aquella frase. Acaricia suavemente el dorso de la mano de Siân.

Ésta se inclina ligeramente hacia él, un infinitesimal pero significativo centímetro y se queda observando la mano que descansa sobre la suya. Retira la mano pero le dirige una mirada, una mirada clara, transparente.

—Tuve un hijo —dice deprisa—. Se mató en un accidente de coche cuando tenía nueve años.

—Cuánto lo siento —susurra Charles.

—Se llamaba Brian. Ocurrió hace seis años.

Le está hablando con voz sosegada como si hubiera planeado contarle eso, como si no pudiera proseguir sin que él lo supiera. Él sufre ahora el peso de todo lo que han experimentado en la vida cada uno por su lado, lo que han tenido que sobrellevar. El tiempo que han vivido separados ha sido toda una vida, una vida con otras gentes, otros amores, amor físico, hijos, trabajo. Ella ha tenido que pasar por la experiencia de enterrar a un hijo. Charles no puede figurarse lo que debe ser semejante dolor. En otros tiempos compartieron una semana entera y no se han visto desde hace tres décadas. Tamaña descompensación lo asombra.

—Yo tampoco tengo apetito, ahora —dice Charles a media voz—. ¿Por qué no nos ponemos los abrigos y nos vamos a dar un paseo hasta el lago? Si nos apetece podemos comer más tarde.

Ella abre la boca como si fuera a hablar, pero la vuelve a cerrar. Parece como si quisiera decirle algo pero no lo consigue. Acaricia suavemente con las yemas de los dedos el dorso de la mano de Charles que todavía reposa en la banqueta.

Charles le pone el abrigo sobre los hombros. Ella se arrebuja en él como si fuera una capa. Abajo, en el vestíbulo, Charles busca la puerta trasera, la que da al lago. Cuando salen al exterior, ella se ciñe aún más el abrigo. La brisa allí es más fuerte; el día sigue encapotado y frío. Se oye el temblor del cristal de una ventana. El viento suelta sus cabellos. Algunos mechones vuelan libremente.

Él la coge por la espalda guiándola a través del ancho porche de piedra.

—Espera un momento —dice Charles—, seguramente quisieras tener ahora a mano un termo con café caliente, pero yo he traído algo para celebrar nuestro encuentro.

Al dirigirse hacia el coche nota que las piernas le flaquean. Es consciente de que sus movimientos son demasiado rápidos, pero no quiere dejarla sola ni un sólo minuto, como si después de un encuentro tan corto ella pudiera volver a desaparecer. En la mente de Charles surgen distintos pensamientos, pero ningún plan concreto. Sus oídos zumban con un latido frenético. Le tiemblan los dedos al intentar abrir el portaequipajes. Los vasos son de plástico, comprados en la charcutería. Ahora siente no haber traído unas copas de champán.

Cuando regresa, Siân está de pie al borde del porche apoyada contra la barandilla de piedra mirando hacia abajo, hacia el lago. Tiene el cuello del abrigo levantado y sus brazos rodean su cuerpo. Delante de ella hay una pendiente de césped y más allá un pequeño bosquecillo. Tras los árboles se puede distinguir la otra orilla del lago, un fino óvalo de plata.

—Creo que el camino está por aquí —dice Charles.

—Si, ya lo recuerdo.

—¿Podrás arreglártelas con estos zapatos?

—Creo que sí. Por lo menos lo intentaré.

Siân se sujeta a la barandilla y mientras baja la escalera se balancea hacia delante. Cojea ligeramente y dice:

—Es mi rodilla. Un accidente que tuve esquiando.

(Él añade otra imagen a su *collage* mental: ella vestida con el equipo de esquiar y los palos clavados en la nieve; pero, ¿con quién está?, ¿con su marido, con un amigo?)

Charles la sigue un poco apartado con la botella en una mano y los vasos en la otra.

—¿Crees que les molestará que bebamos nuestro propio champán? —le dice Siân hablándole por encima del hombro—, ¿y que caminemos por su propiedad?

—Esto es Estados Unidos. Podemos hacer lo que queramos.

Ella lo mira y sonríe. Se encuentran en el césped y él está a su lado. Ahora Siân parece más alegre, más relajada; la tristeza que había expresado en el restaurante se ha disipado momentáneamente.

—Bueno, sabemos muy bien que esto no es cierto —dice rápidamente—; ¿no me irás a decir que eres republicano?

—Sabía que me ibas a hacer esta pregunta. ¿Es importante para ti?

—Sí, claro que es importante.

—Bueno, yo no he votado nunca, así que creo que por esta vez me libro.

—¿Nunca has votado?

—Y hay otra cosa de mí que te va a disgustar.

—¿Cuál?

—Que conduzco un Cadillac.

Los tacones de sus zapatos se hunden en la hierba. Al llegar al lago, él se ofrecerá para limpiárselos.

—¿Así que eras tú el del aparcamiento?

Charles ríe.

—Me miraste de frente. No podía creer que me miraras tan abiertamente y que te marcharas tan deprisa. Creí que te había asustado.

—Bueno, en realidad no te he mirado e incluso te diré que si hubiera sabido que eras tú, te aseguro que por nada del mundo habría cruzado el aparcamiento para identificarme.

—Creí que eras la recepcionista.

Ella parece sorprendida.

—¿La recepcionista?

—Conducías muy deprisa, como si llegaras tarde al trabajo, como si conocieras muy bien el lugar.

—Estaba nerviosa.

—¿Por qué?

Llegan al sendero del bosque que los conducirá hasta lo que era antes la capilla al aire libre junto al lago.

—He estado a punto de llamarte *Cal* —dice ella—. Ahora me es difícil pensar en ti como Charles. Tenía la cinta puesta. Tocaban *Crying* de Roy Orbison, una canción maravillosa.

—No solamente cantaba todas esas canciones sino que también las componía él.

—No entiendo mucho ese tipo de música, pero la recuerdo muy bien.

—Una vez asistí a un concierto suyo en Providence, un concierto increíble. Quizá porque el cantante era un hombre que había sufrido mucho en la vida. Su mujer y él viajaban siempre en moto y un día ella se mató en un accidente. Y creo que además perdió por lo menos uno o dos hijos en un incendio.

Una vez dicho esto, se da cuenta de lo que acaba de hacer. Ella le precede por el estrecho sendero mirando hacia el suelo para no tropezar.

—¡Dios mío! —exclama Charles—; lo siento.

Ella se encoge ligeramente de hombros como queriendo dar a entender que no tiene importancia. Siguen caminando en silencio a lo largo del sendero aproximadamente unos cien metros. Sobre sus cabezas se elevan unos esbeltos abetos con sus ramas más altas balanceándose al viento. Aquí, en el sendero, hay un gran silencio; únicamente se oyen tenues sonidos, como el crujido de algún animal rastreando los arbustos o los chillidos de una manada de gansos volando fuera del alcance de su vista.

Llegan a un claro donde hay unos bancos hechos con sencillos y rudos troncos asentados sobre una alfombra de pinaza. El claro desemboca en el lago, y tras el agua gris y rizada se abre un amplio panorama. En el centro del claro, a orillas del lago, se encuentra el lugar donde solía estar la cruz, una cruz de madera del tamaño de un hombre.

—Recuerdo este lugar —comenta Siân junto a él.

Charles se adelanta y se dirige al banco más próximo al lago. Se sienta mirando al frente. Posa los dos vasos de plástico sobre el banco y empieza a manipular el tapón de la botella de champán. Ella se sienta al otro lado de los vasos con las manos en los bolsillos del abrigo. El tapón salta, vuela hacia el lago. Él consigue verter el espumoso líquido en un vaso y se lo ofrece. Llena el otro vaso y da un sorbo. Quisiera celebrar otro brindis, pero en vez de ello se queda observando el lago. Parece que el agua se mueve, una ilusión óptica. Quisiera mencionar la palabra «destino», pero no lo hace. Recuerda que habían estado sentados aquí de niños, lo recuerda como si fuera ayer (tenía su mano en la suya) y recuerda también el profundo estremecimiento erótico que le provocó aquel gesto.

—Lo que quería decirte en el restaurante y no he sido capaz de hacer —dice ella rompiendo el silencio— es que de alguna forma, la muerte de un ser querido mantiene unido al matrimonio, aunque ya no...

Él aguarda.

Siân hace un gesto con la mano en el aire.

—Aunque sea para compartir un recuerdo, creo que eso es lo que intentaba decir.

—¿Es ése el dolor que hay en tu poesía?

—¡Oh, no lo sé! —responde—. Ésta es una pregunta difícil de contestar. Y tampoco estoy muy segura de que se trate exactamente de dolor.

Sorbe un largo trago de champán. Charles coge la botella para llenar de nuevo el vaso y ella acepta.

—¿Qué querías decir con lo de «esta porquería»? —le pregunta Siân—. En tu carta decías que querías «estar por encima de esta porquería».

—No se trata de nada importante —responde Charles—. Son simplemente asuntos financieros. En estos momentos las cosas no me van muy bien.

—Todo el mundo está igual.

—Supongo que así es. No me gustó que te marcharas a Inglaterra.

—Tiene gracia, si ni siquiera me conoces.

—Yo no estoy tan seguro de ello. La postal que me enviaste era preciosa.

—Te hubiera encantado el pub.

—Los veinte tipos de whisky de malta. Era tu cumpleaños.

—Sí.

—Así pues, ¿cuántos años tienes ahora? ¿Cuarenta y seis?

—Sí. ¿Cuándo es tu cumpleaños?

—El día de Año Nuevo.

—Entonces tienes...

—Ahora tengo cuarenta y cinco.

—Soy más vieja que tú.

—Dos meses más vieja. Toda una señorona.

—Me pregunto si entonces sabíamos nuestras edades. Mi hermana le puso tu nombre a su pez de colores. Lo llamó Cal.

—Y tú opinas que soy divertido.

—Imagino que al regresar del campamento hablé de ti constantemente.

—¿Cuándo dejaste de pensar en mi nombre?

—Supongo que en algún momento durante el último año de colegio.

Siân se queda contemplando el agua como si de ella hubiera surgido una aparición. Él intenta averiguar qué es lo que está descubriendo.

—Charles, ¿qué fue lo que nos sucedió aquella semana?

—Es muy sencillo —responde Charles—. Nos enamoramos.

—¿Tú crees que es posible que dos niños de catorce años se enamoren?

—¿Y tú que opinas?

Ella dirige la mirada hacia el bosque, más allá del claro.

—¿Dónde está? ¿Lo sabes?

—Creo que allí, en la dirección en la que estás mirando.

—Es extraño, pero durante meses o incluso durante más tiempo creí que me casaría contigo.

—Yo lloré durante todo el trayecto hasta llegar a casa —dice Charles—. Mi madre no ha dejado de recordármelo. Fue un trayecto de tres horas. Y ya te dije lo que me respondió cuando le comenté que te había regalado la pulsera.

—Me hubiera gustado encontrarla.

—Seguramente se ha ido rompiendo o se ha oxidado. Creo que me costó un dólar y medio en la tienda del campamento.

—En aquella época era mucho dinero.

Charles ríe.

—Recuerdo que aquel verano ahorré veinticuatro dólares de mi sueldo como repartidor de periódicos, y con ese dinero me compré un tocadiscos y un montón de discos.

—¿Las canciones que me enviaste eran las de entonces?

—La mayoría sí. *Dónde o Cuándo* es del verano en que nos conocimos. La escuché sin descanso.

—La letra... —dice Siân. Da un sorbo de champán pensativa como si estuviera meditando sobre la letra de la canción.

—Es extraordinaria —dice Charles—, aunque lo que resulta más extraordinario todavía es que yo en aquella época entendiera su significado. Me imagino que... —se queda callado observando el lago, una lisa superficie de plata—, si aquel verano la escuché con tanta frecuencia como lo hice, era probablemente porque imaginaba que nos volveríamos a ver. Dicho de otra manera, no vivía la canción como debía vivirla, como el hombre que recuerda un viejo amor, sino que yo era el muchacho convencido de que te volvería a ver algún día. Por ejemplo, cuando la canción dice «Las ropas que llevas son las que llevabas entonces...» yo pensaba que un día te encontraría y que llevarías puesto aquel fino traje de algodón que te llegaba justo por debajo de las rodillas.

—O unas bermudas.

—O unas bermudas.

—«Parece como si ya hubiéramos hablado así.»

Charles fija la vista en ella y añade otra estrofa: «Entonces nos miramos de la misma forma...»

—«Pero no puedo...» —Siân es incapaz de terminar la estrofa.

—«... recordar dónde o cuándo». —Añade él suavemente.

Charles está sentado con las piernas cruzadas y sostiene el vaso de champán en una mano. Se pregunta si aquellos eran los mismos bancos en los que se habían sentado de niños. Hace un gesto con la cabeza. Sabe que nunca comprenderá lo que está sucediendo. En ese momento son simultáneamente los niños que fueron entonces y el hombre y la mujer que son ahora. Como la misma agua, este viejo lago, que es el mismo y sin embargo no lo es. O las copas de los árboles sobre sus cabezas, que son los mismos y al mismo tiempo no lo son. Nunca ha sido capaz de entender en qué consiste el tiempo y ahora le resulta infinitamente más misterioso que nunca.

—Hay otra estrofa que me gusta —dice Charles tras una pausa—. Está en la versión original, pero Dion y The Belmonts no la cantan. «Las cosas que haces vuelven a ti como si conocieran el camino.»

Sobre ellos se oye el aleteo ruidoso de una manada de gansos. De repente, Siân se inclina hacia delante ocultando la cara entre sus manos.

Charles le pone la mano sobre el hombro e intenta acercarla hacia él. Ella se resiste.

—¿Qué sucede?

Su corazón está a punto de estallar, siente un nudo en el pecho.

Cree que ahora va a perderla después de todos esos años durante los que ni siquiera la ha tenido.

—¡Oh, Dios mío! —dice ella llorando.

—Con decir Charles, basta.

Ella se incorpora súbitamente y sus labios dibujan una amplia sonrisa. Sus ojos están húmedos.

Lo mira, y aquella mirada corre como una centella de su boca a sus ojos y a la punta de sus cabellos, como si lo examinara por primera vez. Vuelve a mirarlo a los ojos, como si quisiera leer sus pensamientos.

Él sabe que son fáciles de descifrar, que todo debe de estar reflejado allí, en su rostro.

Charles pone la mano sobre la mejilla de Siân. Le coge la cara y la besa en la boca, una boca suave y generosa. Charles nota cómo ella cede, cómo su columna vertebral se relaja. La rodea con sus brazos apretándola contra él. Ella acerca su rostro semioculto por el abrigo y lo apoya en su hombro.

Siân respira profundamente pegada a su camisa.

—Puedo olerte —dice muy sorprendida—. Recuerdo tu olor.

Él besa sus cabellos. Ella pega la boca contra la tela de su camisa, desliza los dedos entre los botones y toca su piel. Charles desearía que le desabrochara la camisa y piensa que, si ella no lo hace lo hará él, pero en aquel momento Siân le coge la corbata y con ella da dos vueltas alrededor de su mano.

—¿Te gusta mi corbata? —pregunta Charles.

Siân sonríe.

Él introduce la mano por el abrigo, por el interior de la chaqueta, y sujeta a Siân por el costado percibiendo el calor de su piel a través de la blusa de seda. La vuelve a besar. Al entrar en contacto con su boca se siente perdido y ligeramente mareado, como si todo le diera vueltas.

Ella emite un débil quejido.

Charles la coge por la barbilla y acerca sus labios a los de ella. La besa de nuevo. Ella ladea la cara ligeramente hasta encontrar los dedos de Charles. Le besa uno, luego otro. Él mete un dedo dentro de su boca. Siân cierra los labios alrededor del dedo y aprieta, luego deja que él lo retire. Él lo vuelve a introducir, explora su boca una y otra vez.

Charles saca el dedo de la boca de Siân. Desliza la mano hasta su pecho, lo palpa a través de la tela. Desabrocha el botón superior de la blusa, retira el sostén que lo cubre. Le besa el pezón, lo acaricia con la lengua y se sorprende a sí mismo ante la osadía de aquel gesto.

Ella se aparta de él como si fueran dos niños peleándose.

Hace solamente un minuto que la ha besado por primera vez. ¿Cómo pueden haber llegado a ese extremo tan deprisa?

El rostro de Siân está ruborizado, sus labios enrojecidos, y una parte de su cabellera se ha soltado. Su cuello y su frente se llenan de unas manchas apenas imperceptibles. Tiene la blusa abierta dejando desnuda la parte superior de su seno izquierdo.

—¿Es esto un sacrilegio? —pregunta.

Él respira profundamente. Es un pregunta sin sentido viniendo de alguien que ya no cree en sacrilegios.

—Desde luego que no —responde Charles imitando el tono agnóstico de Siân—. De hecho —añade yendo un poco más lejos— creo que Dios se enfadaría mucho si después de habernos encontrado de nuevo, tras todos esos años, no hacemos algo para recuperar el tiempo perdido.

Ella sonríe pero se contiene. Él observa cómo se abrocha el botón de la blusa y se recoge el pelo con una horquilla.

—Es tan raro que haya recordado tu olor —dice. Se inclina hacia él, huele su pecho a través de la camisa y, antes de que Charles intente atraerla hacia él, se aparta.

—Me encanta tu camisa —dice riendo, mientras se reincorpora.

Charles se ha quedado inmóvil.

La mirada de Siân parece ahora lejana. Frunce ligeramente el entrecejo.

—Creo que me estoy congelando —dice.

Se levanta, se arrebuja en el abrigo.

Él también se levanta nervioso, queriendo retenerla, deseando decirle que seguramente ahora ya no tendrá frío, pero no encuentra las palabras adecuadas y no quiere cometer un error. Se acuerda de la botella vacía y de los vasos.

Camina detrás de ella por el sendero y a través del césped en dirección al aparcamiento. Arroja la botella y los vasos en un contenedor de basura.

—No hemos comido —le dice él alcanzándola.

—No puedo comer, ahora no.

—No.

—En todo caso tengo que regresar a casa.

Charles asiente con un movimiento de cabeza.

—¿Elegiste una comida en lugar de una cena porque tienes que regresar junto a tu mujer?

Charles no miente:

—Sí —responde—. Y también porque pensé que para ti sería más fácil.

Se acercan al coche de Siân. Ella se queda de pie junto a la portezuela buscando las llaves dentro de su bolso, un gesto superficial, como si ella fuera una cliente y él, por cortesía, la acompañara hasta el coche, cuando en realidad lo que está sintiendo es un tremendo deseo, y un pesar tan grande y profundo que se retorcería de dolor.

Después de haber encontrado las llaves, Siân se vuelve hasta quedar cara a cara frente a él. Abre la boca como si fuera a decir adiós, como si ya hubiese olvidado lo que acababan de hacer allá abajo junto al lago.

—No sé si voy a ser capaz de continuar —dice.

Jueves noche, a las 9.40

Querida Siân:

Quiero coger el teléfono. Quiero que me cojas la mano. Quiero llamarte y pasarme toda la noche echado con el auricular pegado a mí y notar que entre nosotros existe un hilo conductor.

No llamaré.

Esta tarde, al ver cómo te alejabas del aparcamiento, he sentido una gran tristeza.

Estas cartas son tan comprometedoras que me preocupa enviártelas. Lo que ha sucedido hoy entre nosotros no ha sido algo inocente. Me gustaría decirte lo contrario, pero sé que no es así.

Quiero hacerte el amor y deseo que haciéndolo se detenga el tiempo.

Si telefoneo al suplemento literario y les digo que has besado a un hombre que conduce un Cadillac, tu reputación se irá al traste.

Charles

Viernes, a las 2 de la madrugada

Siân:

He cogido el teléfono quince veces y lo he vuelto a colgar. Quiero llamarte para pedirte que nos veamos en The Ridge, hoy mismo, dentro de un rato. Quiero entregarte esta carta personalmente.

Dijiste que no sabías si serías capaz de continuar. Yo te quiero persuadir de que ahora no tenemos nada más importante que hacer en la vida.

No puedo dormir. He estado leyendo. He desenterrado un viejo libro de filosofía y me ha llamado la atención un pasaje. Es del fenomenólogo francés Merleau-Ponty y trata de la sexualidad. Dice: «La existencia impregna la sexualidad, y viceversa.» Y escribe: «De tal modo que es imposible definir una acción o decisión determinada, o un acto de sexual o de no sexual. No hay superación de la sexualidad, como tampoco hay una sexualidad confinada en sí misma.» También dice: «Nadie se salva y nadie está absolutamente perdido.»

Esta última frase me tranquiliza.

Creo que yo también me he quedado congelado, pero no comprendo muy bien por qué.

Tu rostro me es tan familiar como el mío propio.

Piensa que podría haber sido peor: que nos podríamos haber reencontrado a los sesenta y cinco años en lugar de a los cuarenta y cinco.

CHARLES

Viernes, a las 5 de la madrugada

Querida Siân:

Todavía estoy vestido. Quizá nunca me quitaré esta camisa. Voy a enmarcar la corbata. Tengo un aspecto horrible. He estado escuchando *Dónde o Cuándo* toda la noche. Hace cuestión de una hora y media, mi mujer ha bajado a mi estudio y me ha preguntado si me encontraba mal.

Tú y yo hemos perdido treinta y un años. No puedo resistir la pérdida de otro día más.

Mi estudio está hecho un desastre. Soy incapaz de encontrar tu último libro de poesías y lo he puesto todo patas arriba buscándolo. Ahora que te he vuelto a ver quiero releer una por una todas tus poesías. Quiero saberlo todo de ti.

En esta casa hace un frío espantoso. Pago seiscientos dólares al mes de calefacción y he de estar aquí sentado con el abrigo puesto.

Deseo besar tu otro pecho.

Quiero creer que lo que estamos haciendo hubiera sucedido igualmente. Era sólo una cuestión de tiempo. Mi coordinación del tiempo no podía haber sido peor y a la vez no podía haber sido mejor. Encontrar a la mujer con la que debes vivir es una coordinación temporal sobre la que no se puede discutir.

CHARLES

Viernes, a las 11 de la mañana

Querida Siân:

Sigo sin poder dormir. No he comido desde el jueves por la noche. He estado bebiendo cerveza Coors Light desde que llegué a casa a la vuelta de The Ridge, pero no me ha hecho ni pizca de efecto. Sé que debería echarme un rato, pero antes de enviarte estas cartas tengo que contarte otra historia más.

Me acerqué a la librería a comprar otro ejemplar de tu libro de poemas. El primero lo he descubierto esta mañana en la cómoda de mi mujer. Entré en la habitación para cambiarme de camisa y allí estaba como un isótopo radioactivo. No tengo idea de por qué tuvo que elegir este libro entre todos los que hay en mi estudio, pero lo cierto es que no puedo cogerlo ni pedirle que me lo devuelva.

Me dirigí al mostrador de la librería en el que se encontraban un hombre y una mujer despachando. Le pedí al hombre que me buscara el libro. Éste empezó a introducir el título del libro en el ordenador y yo comenté:

—Sé que lo tienen o lo han tenido porque compré aquí un ejemplar hace unos meses.

Entonces la mujer contestó:

—Ah sí, es uno que tiene la foto de una rubia en la tapa posterior.

Yo añadí:

—Sí, supongo que es la fórmula que han adoptado para promocionar hoy en día los libros.

Y ella me respondió:

—Sí, incluso en las editoriales más serias prefieren que las mujeres se quiten la blusa.

Yo le repliqué:

—Pues a ella le molesta mucho.

—¿La conoce usted? —me preguntó la mujer.

—Era mi novia cuando yo tenía catorce años —respondí.

CHARLES

A él siempre le había apetecido asistir a los partidos de voleibol: le gustaban los movimientos de los jugadores, los impresionantes saltos para bloquear los lanzamientos, la docena de brazos alzados al unísono, el pelotazo contra la red. El comienzo del partido se está retrasando. Hadley ya está en la cancha, y en el gimnasio se van situando los padres y hermanos de las jugadoras, que hoy han cenado precipitadamente. Descubre a Hadley al primer vistazo; lleva su camiseta azul, sus pantalones cortos blancos y la cola de caballo le golpea la nuca en su camino de acceso a la cancha. Charles anda detrás de su mujer y de sus otros dos hijos para tomar asiento en la gradería lateral del gimnasio. Ha querido asistir al partido para no disgustar a Hadley, pero al contemplar el gentío allí reunido se da cuenta en el acto de que quisiera desaparecer. Whalen y Costa se encuentran allí. Hay veintisiete mensajes en el contestador automático de Charles, sólo de aquel día, llamadas que aún no ha contestado pero que ya sabe de quiénes provienen. De Whalen, el del banco, que seguramente lo pescará esta noche. Del representante de Cadillac, que le presionará para cobrarle el plazo que le debe del coche. De la compañía de teléfonos. De la Visa del Citibank. De la Master Card. Intuye que Harriet ignora lo mal que andan sus asuntos financieros, pero se da cuenta de que está equivocado al ver que su mujer saluda a Eddie y a Barbara Whalen, que están instalados abajo junto a la cancha. Charles sienta a Anna sobre su regazo y en aquel momento su mirada se encuentra con la de Muriel Carney. Tom está en el hospital. Ha estado ingresado allí desde el día de Acción de Gracias.

El gimnasio es grande. Forma parte de un edificio que en un tiempo fue el instituto de segunda enseñanza del pueblo y que ahora está ocupado por los alumnos de tercero y cuarto de bachillerato. Las niñas que se hallan en el centro del brillante suelo de madera parecen pequeñas e inocentes. Son sólo unas niñas aunque imiten, como lo hace Jack cuando juega al béisbol, los movimientos de los atletas que han visto por la televisión o en los partidos de los institutos. A Charles le resulta extraño que la mayoría de sus semejantes tengan hijas de la edad de Hadley, como Whalen, Costa y Carney. Sarah, la hija de los Lindell, también está allí. No es capaz de averiguar quién está ganando. Le pregunta a una mujer sentada a su lado cómo está el marcador. El equipo de Hadley pierde por dos tantos. Observa que su hija, junto a la red, está sudando ligeramente. Es una de las jugadoras más altas de su equipo, aunque está seguro de que todavía no ha alcanzado su estatura definitiva: cree que llegará a medir un metro setenta y cinco antes de cumplir los diecisiete años.

Hadley salta, bloquea un disparo y dirige el balón directamente al suelo enmaderado. El público se entusiasma. Charles grita su nombre para animarla. Dirige la mirada hacia Harriet, que sonríe satisfecha, y en aquel momento ve a Whalen abriéndose paso por entre las gradas recogiendo pudorosamente con las manos su abrigo cerrado a la altura de la entrepierna y pidiendo excusas al rozar las rodillas de otros espectadores. ¡Imbécil! Whalen le va a poner en un compromiso delante de Harriet. No hay escapatoria posible. Siente una punzada de pánico. Nota cómo aumenta su tensión sanguínea. Se queda mirando fijamente hacia delante consciente de que su rostro está cubierto de rubor.

—¡Callahan!

Whalen se inclina sobre el hombro izquierdo de Charles. Tiene una tez blanca y delicada, y oculta su calvicie bajo unos finos mechones de cabello muy peinados. Charles, mirando de reojo a Whalen, se jura a sí mismo que cuando se quede calvo no intentará ningún tipo de disimulo.

—Eddie.

—Te he estado llamando toda la semana pasada. Hoy también.

—Lo sé.

Charles mira a Harriet, que le devuelve la mirada y frunce un poco el entrecejo. Parece sorprendida de ver a Whalen sentado detrás de Charles.

—No tengo el dinero.

—Hace tres meses que no pagas.

—Eso ya lo sé.

—No podemos retener ese préstamo para siempre, Charles. Si por lo menos pudieras indicarnos cuándo...

Charles guarda silencio. No soporta los lloriqueos de Whalen. Ni siquiera por teléfono. Charles sabe que no tiene escapatoria posible, pero no quiere confesárselo a Whalen, ahora no; delante de Harriet, no.

—Me gustaría darte un respiro, Callahan —dice Whalen en un tono todavía más quejumbroso—. Tú lo sabes, pero ahora las cosas van muy mal y estamos en las últimas.

Charles baja a Anna de sus rodillas, se gira ligeramente para que sólo Whalen pueda oír lo que dice.

—Escucha, gilipollas —dice lenta y deliberadamente, poniendo énfasis en el *gilipollas*, plenamente consciente de que se la está jugando—. Estoy mirando este jodido partido de voleibol en el que participan mi hija y la tuya, y estoy sentado con mi esposa y mis otros dos hijos, y no pienso discutir aquí este jodido asunto del préstamo, ¿está claro?

Se queda mirando a Whalen durante el tiempo suficiente para ver cómo su rostro se torna de un color gris tan descolorido como su camisa. Observa cómo Whalen abre la boca y luego la cierra. Charles se da media vuelta y se dispone a seguir detalladamente el partido. Siente un fuerte zumbido en los oídos. Es su tensión sanguínea. Cierra con fuerza su mano derecha. Detrás de él intuye que Whalen se ha puesto bruscamente de pie. En la cancha, Hadley está sacando. Comete dos faltas, pierde el servicio. Charles, en su fuero interno, dedica a su hija una mueca de enfado.

Hoy no ha habido carta. Ha ido a correos dos, tres veces. Según sus cálculos, la carta de Siân no podía haber llegado antes, porque para ello tendría que haberla escrito y echado al correo el jueves inmediatamente después de llegar a su casa de The Ridge, cosa muy improbable. Duda de que estuviera en su casa antes de las cinco, hora de cierre en correos. Ni siquiera sabe si le volverá a escribir, si la volverá a ver. Él le ha enviado su fajo de cartas el sábado por la mañana calculando que lo recibirá mañana. Es muy posible que no le conteste, que se niegue a encontrarse de nuevo con él. Junto al coche confesó que a lo mejor no era capaz de...

Dirige la mirada hacia la cancha. No tiene ni idea de quién está ganando. ¿El servicio perdido de Hadley habrá eliminado quizá la ventaja del bloqueo del disparo? Podría preguntárselo a Harriet, pero ahora no quiere hablar con ella. No desea ser interrogado acerca de Whalen. En el otro equipo hay varias jugadoras buenas. Ahora se da cuenta de que no se había fijado en ellas. El equipo visitante viste camisetas negras y pantalones cortos de color rojo. En ése juega una muchacha bajita que tiene un saque tan potente, que nadie del equipo de Hadley es capaz de devolver. La hija de Costa lo intenta con coraje pero no lo consigue. En aquel momento descubre a una niña del equipo visitante tan alta como Hadley, una muchacha con el cabello rubio ceniza recogido en un moño en la nuca. Está en la fila de atrás esperando el servicio. Dirige la mirada hacia el suelo y junta las manos durante unos segundos preparándose para el disparo. El entrenador señala el tiempo. La niña relaja su cuerpo. Se lleva la mano a la cabeza, se toca el cabello distraídamente. No adopta la clásica postura de una atleta, pero su pose es graciosa, autosuficiente. Las jugadoras aguardan a que la hija de

Costa anude el lazo de su zapatilla deportiva. La niña alta del equipo visitante suda ligeramente por el labio superior y por las sienes. Levanta la mirada hacia Charles desde la cancha, como si supiera que él la está observando.

Es posible que sea una alucinación. Sí, *está* alucinando. La niña se mueve, el juego se reanuda, pero el ve únicamente a Siân, una presencia central en medio de un *collage* de brazos alzados y delgados cuerpecitos saltando sobre el brillante suelo de madera. Se siente mareado, la cabeza le da vueltas. Está convencido que está viendo a Siân. Sabe que esta alucinación es producto de sus elucubraciones. Hace días que no come ni duerme. Y sin embargo esa visión parece un regalo, una mirada retrospectiva que le había sido negada hasta ahora. Observa cómo la niña arquea su cuerpo al saltar y sabe que está contemplando a Siân. De pronto siente un gran dolor por su pérdida, inesperadamente se le llenan los ojos de lágrimas, como si algo los hubiera irritado. Echa una rápida ojeada a Harriet y se da cuenta de que ésta lo está mirando fijamente. Desvía la vista hacia la pista. La alucinación ha desaparecido a la misma velocidad con que se le ha presentado. Se pregunta: ¿Estaba viendo a Siân tal como era en realidad o tal como él se la imaginaba?

Una mano roza su rodilla. Baja la vista. Se trata de Harriet que lo toca pasando el brazo por encima de Jack y Anna, sus otros dos hijos.

—Charles —dice suavemente.

Aquella noche en la cama, cuando su mujer lo busca, sabe que esta vez no puede rechazarla. No se trata exactamente de un reto —él y Harriet no se atraen el uno al otro de esa manera—, pero sabe que aquel gesto conlleva una pregunta. Se deja acariciar y reza para que su cuerpo responda, pero en la oscuridad, incluso con los ojos cerrados, lo único que ve son otros rostros e imágenes que lo distraen. Siân de niña, el rostro de Siân junto al lago, su pecho desnudo. Las imágenes no son sexuales, son imágenes que hacen brotar sus lágrimas. Teme echarse a llorar y piensa en los lloriqueos de Whalen. Su cuerpo está completamente inerte, no responde. Sin embargo, no quiere herir a su mujer.

—Quiero que tú disfrutes antes —le susurra cambiando rápidamente de posición y poniendo la mano sobre ella con la esperanza de que se dejará acariciar, que lo aceptará, que pasará por alto su impotencia.

Ella coge la mano de Charles para detener su movimiento.

—Estoy agotado —dice con voz apagada.

Ella retira la mano de Charles y se gira dándole la espalda.

Está en las oficinas de correos antes de las ocho de la mañana. El Cadillac ruge a la espera de que llegue Harry Noonan y abra la puerta principal para acceder a los buzones. Esta mañana, Charles se ha levantado antes que Harriet para impedir que se repita lo de la noche anterior. Se ha duchado, afeitado, vestido, ha bebido un poco de café y se ha sentado en su despacho intentando inútilmente poner un poco de orden en su mesa, mientras oye los sonidos matutinos de su mujer y de sus hijos en otras habitaciones de la casa. Por un momento piensa en el arrebato de ira que tuvo ayer en el gimnasio con Whalen y hace tamborilear los dedos sobre el volante mientras en su agarrotado estómago se instala otra vez un nudo. Sabe que no adoptó una postura inteligente al dejar aflorar su ira de aquella manera. Ahora está seguro de que el banco le privará del derecho a redimir la hipoteca, aunque habiendo niños en la casa tendrán que otorgarle por lo menos seis meses de tiempo para buscarse otro lugar donde residir. Harriet y los niños pasarán las Navidades en casa y hay muchas probabilidades de que no tenga que comunicárselo a Harriet hasta primeros de año.

Navidades. Año Viejo.

Ella le dijo que quizá no pudiera volver a verlo. En este momento es posible que haya una carta en correos confirmando esa imposibilidad. O quizás algo aún peor (o no): puede que no haya ninguna carta.

Las ocho y cuatro minutos. Finalmente llega Harry Noonan en su Isuzu Trooper gris. Charles saluda a Noonan a través del cristal del parabrisas con un gesto de su cabeza y antes de salir del coche espera a que Harry abra la puerta principal. No es extraño que Charles llegue a correos tan temprano. Muchas veces empieza el día yendo a buscar el correo, pero hoy no quiere dar la impresión de estar particularmente ansioso. Sin embargo, después de aguardar un minuto o dos, sigue a Noonan a través del vestíbulo donde se hallan los buzones —el correo no estará todavía en ellos— hasta la sala principal en la que Noonan anda seleccionando unos montones de sobres, todavía con el tabardo puesto.

—Callahan.

—Harry.

—¿Has oído algo esta mañana sobre una tempestad?

—No, seguramente sólo lloverá. Lluvia helada. Justo para estropearnos las carreteras.

—Seguramente.

Noonan aparta un pequeño montón de sobres de aspecto ordinario —uno de la compañía de teléfonos, del banco (El Banco)— y un sobre grande, desconocido, de papel de Manila. No hay ningún sobre azul, pero Charles fija su atención en el de papel de Manila y alarga el brazo para cogerlo. La caligrafía es la de ella, no hay remite. De pronto su mano empieza a temblar, siente un ahogo en el pecho. Esconde el sobre bajo el brazo y oculta las manos en los bolsillos del abrigo. Quiere regresar a la seguridad de su coche, rasgar el precinto engomado.

—Gracias, Harry —dice dando media vuelta.

—Callahan.

Charles vuelve la cara hacia Noonan, quien a su vez lo está mirando fijamente por encima de la montura de sus gafas de media luna.

—Te olvidas el correo.

Una vez en el coche, Charles sacude repetidamente el sobre contra el volante. Se siente igual que cuando de joven abría el boletín de notas o la carta de admisión del colegio Mayor —una incertidumbre entre el respiro y el desastre—, susurrando oraciones inconexas. Inspira profundamente, expira. Desprecinta el sobre. En su interior hay tres sobres azules numerados: 1, 2 y 3. Abre el primero, le echa una rápida ojeada y luego devora el texto como si fuera un toxicómano.

Sus ojos se llenan de lágrimas, parpadea. Se le escapa un sonido apagado, estrangulado, entre sollozo y suspiro. No puede permanecer en aquel lugar leyendo las otras cartas. Deja la carta abierta y las otras dos cerradas sobre el asiento delantero, introduce la llave en el contacto y casi a ciegas sale marcha atrás del aparcamiento. Ha empezado a caer una lluvia fina y persistente sobre el cristal del parabrisas. Se dirige por el puente hacia la playa.

Jueves por la noche, a las 11.20

Querido Charles:

Me dispongo a escribirte. Llevo quince minutos con la mano inmóvil encima del papel, me invade una incapacidad de expresión que proviene de tener tanto que decir y al mismo tiempo de no encontrar las palabras adecuadas para hacerlo.

Es mucho más fácil sentarse en un banco de madera o escuchar una música irreal que explicar la razón por la que no puedo pensar en nada más o por qué al caminar por el césped hacia el aparcamiento me he sentido una mujer distinta. Es muy posible que hoy haya empezado a descongelarme. Esto debería ser de buen augurio, pero me pregunto cómo repercutirá en mi misma y en mi familia.

Tu presencia me resultó tranquilizadora, tu cuerpo y tu voz tan familiares como parece que mi persona lo fue también para ti. De qué manera ha sucedido esto, lo ignoro. Tú y yo, allí abajo, junto al lago, éramos una realidad y al mismo tiempo una metáfora que por alguna razón se me escapa.

Mis fantasías son únicamente fantasías producto de lo que yo creo ser un agotamiento emocional, el resultado de intentar no desmoronarme y mantener la familia unida durante todos esos años. En mi sueño deseo que me cojas la mano. En realidad no sueño con una pasión sexual. Lo que pasó esa tarde ha sido inesperado.

No me hiciste preguntas acerca de mi marido, aunque yo te interrogara sobre tu mujer. En el restaurante intenté transmitirte algo sobre lo que era mi matrimonio, pero sospecho que lo hice muy mal. Cuando conocí a Stephen en la escuela de graduados, confundí su silencio con una manera de ser reservada y atractiva. Entonces ignoraba que lo había conocido durante los dos años más felices de su vida, cuando se encontraba más alejado que nunca de la granja.

Está más casado con la granja que conmigo, pero en ella nunca ha sido feliz. Para él es, en cierta manera, su propio destino.

Me siento terriblemente desleal incluso escribiendo estas breves líneas.

Ahora debo acostarme, pero dudo que pueda dormir.

Me imagino viéndote periódicamente durante muchos años —posiblemente hasta la vejez— como un cable conductor deslizándose por debajo de nuestras vidas reales.

Según los movimientos que hago, percibo la fragancia de tu cuerpo sobre mi piel.

Siân

Viernes, a las 9.20 de la mañana

Charles:

Estoy contenta por haberte escrito aquella carta, la echaré al correo junto con ésta; sin embargo, al ver la luz del día en familia, con una hija, una casa y una vida hecha, creo que lo nuestro no va a ser posible. Y pienso que, de alguna manera, tú también lo sabes.

Probablemente haya una gran afinidad entre tú y yo. A lo mejor es eso lo que nos atrajo cuando éramos niños y de nuevo ayer. Pero sé que esto nuestro no va a ser factible. Supongo que por tu parte, al leer estas líneas, sentirás un gran alivio.

La composición que me hice de cómo podía funcionar lo nuestro era muy seductora; pero, ¿creí verdaderamente que podría verte de vez en cuando, luego olvidarme de ti y seguir tranquila mi vida durante los intervalos de ausencia?

Sé que comprendes que lo que pasó ayer no fue casual, que era potencialmente el primer paso de miles de pasos y que zanjarlo ahora resulta esencial. Lo que nos ocurrió en el banco durante aquellos segundos fue muy peligroso.

Ayer, al volver hacia casa desde The Ridge, me sentí profundamente mujer y deseada, como si albergara dentro de mí un maravilloso tesoro.

No dormí en toda la noche.

No quiero que hagas nada que pueda perjudicar a tu mujer y a tu familia.

Siân

Viernes, a las 6.45 de la tarde

Charles:

Creerás que estoy perturbada o al borde de la locura. Te he escrito esta mañana, luego he llevado a mi hija al parque. Es un lugar muy silencioso y tranquilo; está un poco demasiado avanzado el invierno para ir al parque, pero Lily iba bien abrigada. La niña se fue inmediatamente a jugar al recuadro lleno de arena y yo aproveché para sentarme en un banco a meditar.

No puedo pensar en nada más que en ti.

Me tomaste por el hombro en el restaurante. Y luego cogiste mi mano, y yo volví la cabeza hacia otro lado y tú me preguntaste si estaba molesta, y yo te respondí que no, cuando en realidad, lo que quería decir era: no puedo respirar.

Y luego, sentada en el banco con mi hija jugando en la arena cerca de mí, pensé: esto es la locura. Le acabo de escribir a un hombre con el que tenemos que acabar nuestra relación, cuando en realidad lo único *que quiero es que me haga el amor.*

Deambulo en un estado febril. No duermo, no como.

Sé que lo mejor para todos sería que no nos viéramos nunca más.

Quiero que sepas que por lo menos *acepto mi parte de responsabilidad sobre lo que está sucediendo ahora.*

Me pregunto sin cesar, a cada minuto, a cada hora: ¿qué es *esto?*

SIÂN

Sus manos están tan húmedas y al mismo tiempo tan frías, que casi no puede manipular el teléfono. Se ha olvidado las gafas y a duras penas distingue los números. Marca como si lo hiciera con el sistema Braille. El teléfono está en una cabina al aire libre junto a Qwik Stop. Tiene la esperanza de que no pase nadie conocido: ¿Qué está haciendo Callahan en un teléfono público con ese tiempo infernal teniendo su propia casa a menos de tres kilómetros?

La lluvia helada le aguijonea la nuca. Se sube el cuello del abrigo, desearía tener un paraguas. El aguanieve gotea por su nariz.

—¿Diga?

La voz de Siân suena como si no quisiera contestar al teléfono.

—¿Siân?

Hay un silencio, un largo silencio.

—Soy...

—Ya sé quién eres —responde ella lentamente. Charles puede oír un débil sonido, un imperceptible sonido que proviene del fondo de la garganta de Siân.

—¡Oh, Dios...! —exclama.

—Basta con decir Char...

—Ya sé. Ya sé —su voz suena tensa. Charles piensa que quizás está llorando, pero no puede asegurarlo.

—Creí que, al decirte que no sería capaz de hacer esto, no volvería a saber de ti —dice Siân apresuradamente.

—Deberías saber que iba a llamarte —responde él—; ¿has recibido mis cartas?

—No.

—Las recibirás hoy. Yo acabo de recibir las tuyas.

Se hace un silencio al otro lado de la línea, pero Charles cree oír su respiración.

—¿Siân?

—¿Sí?

—Tenemos que vernos otra vez y tú lo sabes.

—Sí.

—Quiero verte hoy, ahora.

—No puedo...

—No. Hoy no. El tiempo es infernal. ¿Nieva por ahí?

—Lluvia helada.

—Aquí también. ¿Mañana?

—¿Mañana?

—No quiero esperar, no esperaré. Tengo que verte.

—Lo intentaré.

—¿En el mismo sitio?

—De acuerdo.

—Pero más temprano. ¿Puedes estar allí a las diez?

Ella parece pensar, calcular.

—Sí —responde dudosa—, creo que sí.

—Bien —Charles respira profundamente—. ¿Siân?

—¿Sí?

—Sé que vas a pensar que estoy loco pero quiero que sepas, si por alguna razón no llego, que te quiero.

Al otro lado del hilo, el silencio es tan largo que Charles supone que ha colgado el aparato. Desearía poder ver su cara.

—Y hay algo más —añade.

—¿Qué es? —su voz suena débilmente.

—No entiendo cómo lo sé, basándome en un sólo encuentro —dice—, pero estoy seguro de...

—¿De qué?

—De que siempre te he querido.

Charles se encuentra de pie junto a su coche cuando entra ella en el aparcamiento. Son las diez y diez. El día es frío y nítido: la tormenta de ayer se llevó el frente nuboso y el cielo está hoy tan azul que casi parece de neón. Ella baja del coche, se cuelga el bolso del hombro y cierra la puerta. Él observa cómo cruza el aparcamiento hasta llegar al Cadillac. Permanecen unos instantes frente a frente y luego él la abraza, la estrecha entre sus brazos. Ella se deja abrazar, dichosa, como si también hubiera estado esperando aquel momento durante muchos días. Puede notar cómo tiembla y ella así lo confiesa.

—Estoy temblando —dice, como avergonzada—. Sencillamente estoy temblando.

Él la aleja de sí estirando los brazos, la mira, la besa. La boca de Siân se abre: él siente como si vertiera todo su ser dentro de ella.

Se separa.

—Tengo una habitación —dice.

Entonces ella se sobrepone. Charles piensa por un momento que va a protestar, que a lo mejor todavía no está preparada para ir a una habitación, pero no hace ningún comentario; parece únicamente esperar a que él le indique el camino. Charles la coge de la mano y la conduce a través del aparcamiento. Suben la escalera del hotel hasta el vestíbulo. Ella va vestida otra vez de negro —un abrigo negro, zapatos de tacón negros— y él percibe sin mirarla la ligera cojera de Siân mientras camina. Una vez en el vestíbulo se vuelve hacia ella y le dice muy deprisa:

—Ahora viene lo peor: pasar por delante del mostrador de la recepción. Ya he reservado una habitación.

—No me siento culpable —dice ella—. Todo va bien.

Charles no puede recordar la última vez que reservó clandestinamente una habitación para estar con una mujer. No, no lo ha hecho desde que está casado. Le ha sido fiel a Harriet a lo largo de su matrimonio como supone que ella lo ha sido también. Y sin embargo no es un sentimiento de culpa lo que siente, sino más bien de intranquilidad, como si fuera un hombre joven sin experiencia con las mujeres, y se pregunta una y muchas veces si saldrá bien, si con la ansiedad de esa emoción indefinible será capaz de hacer el amor a Siân Richards. A lo largo de esos últimos días ha intentado verse haciendo el amor con ella, pero no ha sido capaz de enfocar esa escena con claridad. A su mente acude únicamente la imagen de ellos cuando eran niños.

Quisiera decirle que ha tomado la habitación simplemente por comodidad, para tener un lugar privado para ellos, para que puedan hablar sin que los demás los oigan, pero sabe que esto sonaría a falso. Ella camina delante de él desviándose un poco hacia la derecha. Él le va indicando la dirección a seguir. La habitación se encuentra en el último piso del ala oeste, el ala en la que los muchachos tenían sus dormitorios. La ventana de la habitación da a la parte de atrás, al lago. Él ya ha estado en aquella habitación, la ha inspeccionado.

Charles introduce la llave en la cerradura, abre la puerta y le cede el paso.

En el centro del dormitorio hay una austera cama con cuatro columnas, cubierta por un edredón blanco. El resto de los muebles consiste en un alto tocador presidido por la televisión, un lavamanos con una jofaina y un jarrón de porcelana blanca, dos sillas tapizadas de seda de idéntico color cereza del siglo XVIII o quizá de imitación. Al entrar de nuevo en la habitación, Charles comprueba con satisfacción cómo ha cambiado ésta. Cuando era un niño la estancia constaba de dos juegos de literas y cuatro cajones de embalaje, que hacían las veces de armario para guardar la ropa y demás enseres.

Siân tiene las manos en los bolsillos del abrigo y se dirige hacia la ventana para contemplar la vista. Él se acerca a ella. Le pone una mano sobre el hombro mirando también hacia el exterior. El sol refleja su resplandor en el agua. Él hace un gesto para ayudarla a quitarse el abrigo, pero ella deja que éste y su bolso se deslicen hasta el suelo. Viste un traje negro con una chaqueta gris. Lleva de nuevo el cabello recogido formando un moño sujeto por una pinza.

Él se inclina y abandona sus labios sobre la nuca de Siân. Ella, temblorosa, dobla la cabeza ligeramente hacia delante.

—Te has acordado —dice casi en un suspiro.

—Naturalmente que me he acordado —responde él.

Él la coge por los hombros y juntos dan los dos o tres pasos que los separan de la cama. Ella se sienta en el borde del lecho. Él se sienta a su lado.

Ella tiene las manos boca arriba muy abiertas.

—No... —susurra.

Lo observa con una expresión interrogante en su rostro. Abre la boca como para terminar la frase, pero él la besa, la abraza sobre la cama. La boca de Siân está entreabierta, receptiva, pero Charles sabe que quizá se aparte de él en unos segundos. Desliza la mano por debajo de la falda, palpa la piel de su cadera, de su vientre. Las medias descubren la parte superior de sus muslos. Charles le levanta la falda para poder ver su cuerpo.

Lleva una combinación corta cuyo lazo desatado le roza el vientre. Permite que él retire su ropa interior. Entonces él ya no espera más, desliza un dedo dentro de ella, luego otro. Mueve los dedos hacia dentro y hacia fuera lentamente, disfrutándola. Se inclina sobre ella con los dedos todavía perdidos en el interior de su cuerpo poniendo su boca sobre la suya. Ella despega los labios ligeramente como si quisiera beber su aliento. Él ve sus dientes, su lengua. Abre la boca, pero todavía no la besa. Sólo una pulgada separa sus respectivos labios. Ella se incorpora un poco hacia él, esperando. Él siente la respiración de Siân junto a sus labios. Retira los dedos de su sexo y los lleva hasta la boca de Siân. Recorre con ellos el contorno de su labio inferior. Ella le coge la mano, se introduce los dedos de él en la boca, deja que los mueva rítmicamente hacia delante y hacia atrás como lo ha hecho dentro de ella.

Él se desabrocha el cinturón rápidamente y la penetra. Se apoya sobre las palmas de las manos. Tiene que verle la cara. Ella lo está mirando, enrosca las piernas alrededor de él. Charles nota el frescor de aquellas piernas sobre la parte posterior de las suyas. Ella lo mira fijamente, sólo cierra los ojos durante unos segundos, únicamente al final. A él no le falta mucho y cuando goza sabe con toda certeza que nunca querrá hacer el amor con ninguna otra mujer que no sea Siân Richards.

Después de permanecer un rato debajo de su cuerpo, ella gira la cara hacia un lado. Él se incorpora de nuevo para mirarla. Está sonriendo.

—¿Qué te pasa? —le pregunta sonriendo a su vez.

Ella sacude la cabeza lentamente. Se vuelve hacia él, lo mira detenidamente, de una forma como nunca nadie lo ha mirado, ni Harriet, ni ninguna otra mujer. Lo sabe. La sonrisa de Siân está llena de conocimiento, más allá de las circunstancias y los pormenores de este día, de esta cama.

—Te he estado esperando —le dice.

Está sentada en el borde de la cama vestida con la combinación negra. Se ha quitado la chaqueta, el vestido; su cabello suelto ha resbalado hacia un lado, sujeto apenas por el clip. Él está casi desnudo debajo de las sábanas, apoyado en la almohada. Le gusta verla moverse en combinación.

—¿Siempre vas de negro? —le pregunta.

Ella se encoge de hombros, cruza las piernas.

—Creo que sí. Es lo más cómodo. Todo va con todo.

—Creo que voy a matar uno por uno a todos los hombres que han sido testigos de un orgasmo tuyo —le dice.

—No ha habido muchos —responde ella—, y de todas formas, si seguimos así, pronto superaremos el número de orgasmos habidos en nuestros respectivos matrimonios.

Han hecho el amor tres o cuatro veces. Charles no sabe cómo podría definir aquel acto de amor, o cómo contar la sucesión de la culminación de sus placeres, fundiéndose uno en otro y provocando otros aún más intensos. Ni siquiera han comido.

—Bueno, *no voy* a tardar mucho —dice Charles.

Ella ríe:

—¡Qué cosa más dulce de oír!

—Es la verdad.

—Es extraño —dice ella—; aquellos niños de catorce años no sabían qué les pasaba y ahora éstos de cuarenta y seis tampoco saben lo que les está ocurriendo.

—Uno de nosotros tiene sólo cuarenta y cinco años.

Ella le da un suave golpe en el brazo. Él se echa hacia atrás simulando dolor.

—No puedo explicar esto —dice—; sólo puedo relacionarlo con aquellos sentimientos que suscitabas en mí cuando tenías catorce años.

Charles se incorpora, le levanta el cabello, la vuelve a besar en la nuca.

—Ahora, cuando hago esto llega hasta mí un olor a sexo. Es algo que va ligado a mi aliento contra tu cuello. —Se aparta un poco, observando muy quieto el cuello de Siân.

—Tienes una picada de cigüeña.

—¿Una qué?

—Una picada de cigüeña, por lo menos eso parece. Quiero decir una marca de nacimiento, un antojo. Está justo al inicio del cabello.

Ella se lleva la mano a la nuca. Levantándose se dirige hacia la ventana, mira hacia el lago. Él se levanta también de la cama y se acerca a ella. Sólo lleva encima la camisa abierta.

—¡Qué extraña vivencia experimentamos la semana pasada cuando, sentados allá abajo, contemplábamos el lago! —dice Charles.

—¿Qué significado tuvo para ti?

—No lo sé a punto fijo —dice—. Era como si el mismísimo san Juan Bautista fuera a surgir de las aguas.

—No es una imagen muy católica.

—No.

—¿Qué te hizo pensar eso?

—Creo que yo deseaba arrojarme al agua para purificarme. No podía soportar más imaginarte con otro hombre.

Siân pone la mano sobre su hombro y le acaricia la espalda.

—Estábamos predestinados a que nos ocurriera esto —comenta ella.

—¿Podemos tener confianza? —pregunta Charles.

Ella guarda silencio durante un momento.

—Si no podemos confiar en lo nuestro, no podemos confiar en nada en el mundo.

La habitación se hace más ancha y su pecho se dilata gozoso. Siente el impulso de abrir la ventana de par en par y de gritar a los camareros.

—Creo que hemos nacido para estar juntos, para acoplarnos —añade ella.

Charles sonríe. Le encanta la palabra «acoplarnos». Le sugiere algo primitivo, simple, animal, que está más allá del pensamiento, o incluso antes del propio pensamiento, tan intuitivo, como Siân reconociendo su olor.

—Sí —dice Charles—. Yo también lo creo.

—Y ni siquiera conozco a tus hijos.

—Ni yo a los tuyos.

—Tú y yo nunca tendremos hijos juntos —le dice ella—. Bueno, seguramente no. Quiero decir que no deberíamos tener hijos juntos.

A Charles le asalta un pensamiento. Está horrorizado por no haber pensado en ello antes y se horroriza aún más al comprobar que le preocupa haber hecho el amor sin tomar ninguna precaución, aunque al mismo tiempo desea fervientemente poder dejar embarazada a Siân.

—Tendría que habértelo comentado antes —dice Charles—, pero...

Ella sacude la cabeza con decisión.

—No. Yo tampoco he traído nada, pero creo que para mí eso ya no representa un problema.

Charles no está muy seguro de lo que ella ha querido decir, pero prefiere no indagar.

—Ya tenemos suficientes niños —dice Charles.

—Sólo hace seis días que nos conocemos.

—Seis días y una semana.

—Seis días, una semana y treinta y un años —añade ella.

Charles la abraza, recuesta la cabeza de Siân en su hombro. Siân le preguntaba en una carta: ¿qué *es* esto? La pregunta no tiene respuesta, piensa. Se interroga sobre si esta relación es regresiva o progresiva. ¿Están ambos intentando simplemente recuperar un amor adolescente? O se trata de una oportunidad, una oportunidad única en la vida de tener una relación sexual rica y madura con una persona a la cual estás predestinado a pertenecer.

¡Qué casualidad! Esas mismas preguntas se hallan implícitas en la canción que por fin ha encontrado y que tanto le gusta. *Las cosas que haces vuelven a ti como si conocieran el camino*.

Ella acaricia la tela de su camisa, acerca su cara e inspira profundamente.

—Me encanta tu olor —dice.

Siân se ha arreglado lo mejor posible. Se ha peinado con esmero, pero no tiene maquillaje para cubrir las tenues manchas de su frente. Su chaqueta gris está arrugada.

—La próxima vez —dice antes de salir de la habitación provocando con estas palabras una explosión de alegría en el corazón de Charles— tendré que traer un neceser para poder ducharme y arreglarme antes de ir a comer.

Están sentados en la misma banqueta que la última vez. El comedor sigue exactamente igual que la semana anterior a excepción de las blancas cortinas de los ventanales que protegen hoy a los clientes de brillantes haces de rayos de sol que a esas horas del mediodía se abaten sobre el comedor. Él ha tomado vodka, ella una copa de vino; él ostras; ella salmón. Sorprendentemente, o quizá no tanto, Charles tiene apetito por primera vez desde hace varias semanas. Está agotado pero se siente vivo. Ella está sentada ligeramente vuelta hacia él rozándole el muslo con la rodilla. Charles tiene la mano apoyada sobre la pierna de Siân, cubierta por la falda de su vestido. Aunque no sonríe, de ella emana un resplandor especial.

—Eres guapísima —le dice. Sabe, que como él, su cuerpo no es perfecto y también es consciente de que tiene cuarenta y seis años y no veintiséis, pero en este momento no concibe que exista para él otra mujer en el mundo más atractiva que ella.

—Tú sí que eres guapo —dice ella.

—Creo que esto no me lo habían dicho nunca.

Ella toca su rodilla y se la acaricia suavemente.

—¿Sabes? Nunca he hecho esto —dice Siân—. Quiero decir que nunca he sido infiel.

—Yo tampoco.

—La verdad es que no puedo decir que mi matrimonio sea un desastre —añade Siân lentamente mientras aparta la mano de su rodilla—. Pero Stephen y yo no estamos muy unidos. No... Casi nunca... —hace un gesto como queriendo aludir a las sensaciones que acaban de vivir en la habitación del ala oeste.

Él levanta la mano con rapidez.

—No —dice—. No es posible, todavía no.

Ella baja la vista hacia la mesa.

—Tenemos que ser prudentes —dice Charles.

Ella asiente.

—No quiero hacerle daño a tu mujer.

—No, no me refería a eso. Quería decir que tenemos que tener cuidado el uno con el otro.

Ella lo mira fijamente.

—A veces pienso en los próximos treinta y un años —dice.

—Yo también.

—Me pregunto cuánto tiempo nos queda de vida: ¿la segunda mitad?, ¿un tercio? ¡Y todo es tan accidental! Si aquella mañana de domingo no hubieses comprado el periódico ahora no estaríamos aquí.

—¿Tiene alguna importancia el número de años? —pregunta Charles sintiendo de pronto un acaloramiento en su voz—. ¿No vale la pena aunque sólo tengamos un año, un mes por delante? ¿No tiene el mismo valor? ¿O es la acumulación de las horas lo único que cuenta?

Ella permanece sentada en silencio. Él sabe que Siân no puede responder a esas preguntas. Ella alarga la mano para alcanzar el bolso.

—He traído algunas fotos —dice— para que te hagas una idea de cómo he sido yo durante esos años de intervalo. Y también quería mostrarte a mi hija.

Él coge el pequeño y ordenado fajo de fotografías y se pone las gafas.

—Ésta soy yo en el instituto —dice Siân señalando una joven con el pelo a lo paje, vestida con un sencillo suéter y un collar de perlas. En el retrato no lleva gafas, y Charles se sorprende al observar que parece mucho mayor de lo que es en realidad. En aquella foto no tendría más de dieciséis o diecisiete años. Sin embargo, sus ojos tienen la expresión de alguien sin edad definida, una expresión de gravedad que contradice su juventud.

—Y ésta soy yo en el Senegal.

Charles contempla la foto de una mujer esbelta, delgada, angulosa, que lleva por vestido una tela que envuelve su cuerpo hasta la altura del pecho.

—Allí, todas las mujeres iban así —dice. En la foto aparecen otras mujeres pero ningún hombre. Le enseña otras fotos. Algunas son de una pequeña y hermosa niña de rubios y largos cabellos. Ninguna de su marido.

De repente, Charles se queda inmóvil ante una fotografía de Siân y un bebé. Ella parece una mujer de unos treinta y tantos, o unos treinta años, que sostiene un bebé en los brazos como si estuviera amamantándolo. Seguramente se trata del hijo que murió.

Charles deja el montón de fotos sobre su regazo y se queda con la vista fija en la pared de enfrente.

—Es doloroso pensar que ésta eres tú y que yo no estaba contigo —dice.

Le devuelve las fotos. De pronto se percata inquieto del poco tiempo que les queda para estar juntos. Mira el reloj con disimulo, pero ella se da cuenta.

—¿Qué hora es? —pregunta.

—No quiero decírtelo —responde Charles.

—Tengo que saberlo.

—Guardaba la esperanza de que nos diera tiempo a regresar a la habitación, pero no va a ser posible.

—Volveremos.

—¿Cuándo?

—No lo sé. Será difícil escaparse.

—Pero tenemos que hacerlo.

—Sí.

—¿Te puedo telefonear?

Ella se mira las manos, levanta la cabeza y suspira.

—Entre las cuatro y las cinco él no está casi nunca en casa —dice—, pero entonces tengo a Lily. No será fácil.

Mientras Charles paga la factura, Siân se echa el abrigo sobre los hombros. Salen del comedor. Él mete las manos en los bolsillos del pantalón y encoge el pecho doblando la espalda para afrontar el frío. Se ha dejado el abrigo en la habitación. Cuando ella se haya ido, irá a buscarlo. Juntos caminan por el aparcamiento hacia el coche de Siân, el pequeño Volkswagen negro.

—Si pensáramos en lo que hubiera podido ser,

nos volveríamos locos —dice ella cogiéndose de su brazo.

Se acercan al coche, Siân mete la llave en la cerradura, levanta la cabeza y lo mira. Él sólo es consciente de que dentro de unos segundos ella se marchará.

—¿Podremos volver a hacer esto? —pregunta Siân.

—No puedo concebir otra cosa —le responde él.

Charles la rodea con los brazos. Reclina la cabeza de Siân en su hombro. En aquel momento aparece un coche en el aparcamiento. El conductor que está maniobrando es una mujer mayor con el cabello corto y canoso. Quizás es una camarera o la directora de cocina. La mujer mira a Charles, le sonríe abiertamente levantando el pulgar con aire de complicidad. Él le devuelve la sonrisa.

—Se acabó —le dice a Siân.

Unos minutos más tarde, al entrar en la habitación para recuperar su abrigo, ve la cama deshecha, todavía revuelta. Se sienta en el borde y descubre una mancha en la sábana de abajo. Palpa la mancha con la punta de los dedos, cerrando los ojos. ¿Cómo es posible vivir separados ante esa prueba tan evidente de su unión?

Al segundo día, la niña ya intuía que el muchacho iba a hablarle. Durante la tarde anterior, en las habitaciones de la vieja mansión, afuera en el césped, e incluso en la piscina en la que finalmente les habían concedido permiso para bañarse, sabía que él la estaba mirando. Él llevaba un traje de baño rojo y se tiraba de cabeza al agua con el cuerpo alargado como la hoja de un cuchillo y, al salir a la superficie, la seguía mirando con el pelo mojado pegado a la frente.

Antes del mediodía del segundo día, Siân salió de la sala de arte donde se encontraban los demás niños y cogió el sendero para ir al lago. Aquel paseo no estaba programado, pero tampoco estaba prohibido. No era por supuesto solitaria, pero a menudo le gustaba la soledad.

Caminar por el ancho césped y adentrarse en la espesura del bosque era para ella como entrar en una catedral de paredes hechas con altos abetos en vez de grandes piedras cortadas a mano, como las de la iglesia católica que había cerca de su casa. La brisa del lago se filtraba a través de los árboles. El camino estaba oscuro, sombrío, protegido de la deslumbrante luz del sol del mediodía. Avanzaba con las manos en los bolsillos y al oír unos pasos detrás de ella continuó caminando sin detenerse, sin dudar y sin volver la vista atrás. Alcanzó el claro del bosque y anduvo por el pasillo formado por los bancos de madera hasta sentarse en el banco más cercano al agua. Delante de ella se erguía una cruz y más allá se extendía la superficie del lago hasta la otra orilla. Sabía que aquel campamento no tenía nada que ver con la cruz. Había comprendido ya desde los catorce años que aquella cruz era algo histórico, una de las varias formas con las que los adultos de su entorno se valían para representar la esperanza. A ella le gustaban la disciplina y el ritual de su iglesia, la cadencia de las palabras en latín.

Él se sentó en un banco próximo al de ella contemplando también el agua. Dijo «hola» con voz tímida, mirándola de reojo, y ella también dijo «hola» con una mirada fugaz. Él le dijo cómo se llamaba y ella le dijo también su nombre, aunque ambos ya los sabían. Él le preguntó de dónde era y ella le preguntó a su vez de dónde era él, y ambos contestaron a esas preguntas despreocupadamente, ignorando que las respuestas iban a sellar sus destinos. Ella pensó que él era como ella, extrovertido, abierto, que era alguien que estaba contento consigo mismo. Él le dijo que se había marchado de la habitación donde se encontraban los demás porque ya tenía un billetero y no tenía sentido hacer otro, y menos de esos confeccionados con galón. Ella asintió con la cabeza y sonrió. Respondió que a ella tampoco le interesaban mucho los trabajos manuales, que prefería otras actividades, como la natación, el tiro con arco o el badminton. Él dijo, sonriendo ante su propio descaro y tentando a la suerte, que era bastante bueno jugando a badminton y que un día de estos deberían jugar un partido. Entonces ella dijo, imitando su tono guasón, que sería muy afortunado si ella le concedía un partido. Luego se quedaron en silencio mirando hacia el agua con la sonrisa todavía dibujada en sus rostros hasta que, al cabo de un tiempo, ésta se evaporó.

Él se levantó y se sentó en el banco de Siân, muy cerca de ella. Tenía una pequeña rama en la mano con la que empezó a hacer garabatos en la tierra junto a sus pies.

Conversaron sobre sus familias y sus colegios, sus nuevos monitores y la rutina del campamento, ambos conscientes de que aquellas preguntas y respuestas tan rudimentarias enmascaraban otro diálogo, el diálogo de las miradas intencionadas y los sutiles ademanes. Ella cruzaba las piernas, él se rascaba el brazo.

En aquel lago no se podía nadar. En la orilla, el fondo era oscuro y estaba lleno de raíces y algas. En el lago había peces y, a pesar del fuerte sol, a veces podían ver la trayectoria de una perca en la superficie del agua. De un reloj surgió una melodía, seguida de doce campanadas, avisando la hora de comer. No podían dejar de acudir. Los buscarían, les llamarían la atención. Ella pensó que no le importaba gran cosa, pero que al enterarse los demás de que los habían encontrado juntos no dejarían de espiarlos.

Ella se puso en pie la primera y sugirió que tomaran el sendero para ir al comedor. Él lanzó la ramita al agua.

Ella observó cómo volaba por los aires y caía al lago. Los dos sabían, incluso en ese primer encuentro, que tendrían que regresar por separado, por lo cual él declaró, caballeroso, que antes de volver quería echar una mirada al embarcadero permitiendo así que ella se marchara primero asumiendo él solo la presunta reprimenda.

Ella dudó por unos instantes, luego aceptó. Sabía que él se había percatado de su indecisión, que se había dado cuenta de que ella no quería marcharse del claro y cortar aquella tentativa de acercamiento. Él, con las manos en los bolsillos, hizo unos dibujos en la tierra blanda con la punta de su zapatilla de deporte. Una vez en la colina, oyeron el chasquido de una puerta metálica al cerrarse a lo lejos la amortiguada conversación de los demás muchachos.

—Esta tarde —dijo él y ella asintió.

Cuando éramos niños me cogiste la mano. Y más tarde, tumbados sobre las húmedas y arrugadas sábanas, cuando yo dije: «Esto nos está desbordando», tú contestaste: «No, esto es tan sólo cogerte la mano.»

El verano en que te conocí empecé con la menstruación. El invierno durante el que nos volvimos a ver se me retiró. A veces pensaba que era justamente esto lo que nos habíamos perdido tú y yo, mi condición de mujer.

En la habitación del hotel, en aquella que había sido uno de los dormitorios, introdujiste tus dedos en mi sexo y pensé en mi fuero interno que aquel era el acto más íntimo que había experimentado.

En la habitación del hotel estuve debajo de tu cuerpo. Tu rostro estaba sobre el mío; miré tu boca, tus ojos y pensé: conozco a este hombre. Fue el impacto del reconocimiento.

Te traje unas fotos al hotel para enseñártelas, para que vieras cómo era yo de joven, pero inmediatamente me di cuenta de mi error. Vi la expresión de pesar en tus ojos y tú dijiste que te dolía demasiado no haber estado conmigo.

Te sentaste en una silla de la habitación, y yo me senté a horcajadas sobre tus piernas y te miré. Llevabas una camisa a rayas y una corbata roja con el nudo flojo. Contemplé el perfil de tu rostro, la elegante línea de tu mandíbula, tus ojos pardos, tu boca, el recto contorno de tu labio inferior, y descubrí en ti al muchacho que me había dejado, al joven que nunca conocí.

Observé cómo te sentabas en el borde de la cama y te inclinabas para ponerte los zapatos. Me encontraba detrás de ti y tú no sabías que te estaba mirando. Vi la curva de tu espalda y pensé: siempre amaré a este hombre.

Quería hacerte mil preguntas, pero no pude. ¿Sabías cuándo engendrabas a un bebé? ¿Besaste a tu mujer cuando estaba dando a luz? ¿Cuándo le dijiste que la amabas? ¿Encontrabas guapa a tu mujer?

Y ahora me pregunto lo siguiente: ¿Hasta qué punto distorsiona el tiempo la memoria?

Es consciente de que mientras está haciendo cola, lo están observando detenidamente. Sin embargo, no está seguro de si el motivo de dicho escrutinio se debe a no haberse afeitado o a algo completamente diferente: a su comportamiento distraído y atento, sosegado y nervioso al mismo tiempo. Se ha pasado la noche escribiendo cartas, cuatro de las cuales están dentro del sobre Manila grande. Sólo ha dormido dos horas, vestido, en el sofá, después de que los niños salieran de casa por la mañana. Desde su regreso de The Ridge no ha sido capaz de entrar en su habitación por no ver la cama de matrimonio, como si a su vista se sintiera doblemente traidor hacia su mujer y hacia la mujer con la que ayer hizo el amor.

Se siente atrapado. Está el tercero en la cola y por lo menos hay otras siete personas detrás de él. Piensa que posiblemente la razón por la que todos lo miran se debe a que saben que ya no tiene oficina y que seguramente pronto perderá también su casa. Otra víctima de la recesión. Últimamente, incluso Harriet ha atribuido su extraño comportamiento a sus problemas económicos, un motivo que lo hace sentirse aliviado y culpable a la vez. Ya ni siquiera le pregunta por qué no se acuesta, por qué no come; actúa como si hubiese tomado la decisión de permitir que esta pequeña depresión nerviosa siguiera su curso.

Ha ido a la oficina de correos a la peor hora imaginable; a las doce y cuarto, a la hora de comer, y en plena aglomeración de los días anteriores a la Navidad. Quiere marcharse y volver más tarde, pero no puede guardar las cartas en casa y desea mandárselas a Siân lo antes posible. Está ya en el segundo puesto de la cola y, acercándose al mostrador, coge un impreso de correo express y busca su pluma en uno de los bolsillos de su chaqueta. Recuerda, como lo ha venido haciendo durante toda la mañana, lo que estaban haciendo ayer a esa misma hora, revive el día a intervalos de quince en quince minutos: a las doce y cuarto todavía estaban en la cama, aún no habían bajado a comer. Su mente se inunda de imágenes eróticas. Hoy la llamará a las cuatro. Necesita oír su voz.

La mujer mayor que se encuentra delante de él coloca el bolso encima del mostrador, saca el billetero y penosamente empieza a contar el dinero, monedas y billetes, para pagar su transferencia. Noonan, que normalmente no se inmuta por nada, mira impacientemente su reloj y observa la larga cola que ha abierto la puerta dejando entrar el frío, y suspira.

—Callahan —dice haciendo un gesto por encima de la cabeza de la señora.

—Harry —dice Charles.

—Qué frío, ¿verdad?

—Horrible.

—¿Qué va a ser?

—Express —dice Charles.

La mujer que está delante de Charles se aparta. Charles deja su paquete encima del mostrador. Se pregunta qué pensará Noonan cuando vea la dirección. Es la segunda vez durante esta semana que dirige una carta a esas mismas señas a las que ha estado escribiendo durante todo el otoño. Noonan observa el paquete, lo pesa y se dispone a pegar el impreso de correo express que Charles ha rellenado.

En aquel momento se le ocurre una idea. Mira la larga cola que hay detrás de él, echa un vistazo a Noonan detrás del mostrador. Éste acaba de decirle lo que debe y está esperando a que Charles le pague.

Sabe que nadie va a entender lo que va a hacer. Pero ella sí, ella sí que lo entenderá.

—Espera un momento, Harry.

Charles se despoja de su abrigo, también de la chaqueta, y deja las dos prendas sobre el mostrador. Se afloja la corbata y desliza la lazada por la cabeza. Se desabrocha la camisa, después los gemelos. Se quita la camisa, la dobla lo más apretada posible. Alarga la mano hacia el mostrador, coge el paquete, introduce la camisa en su interior junto con las cartas, lo sella de nuevo y lo hace resbalar por el mostrador hacia Noonan. Éste lo mira fijamente. Charles se pone la chaqueta, mete la corbata en un bolsillo. Se abrocha el abrigo hasta el cuello y sacando la cartera le pregunta a Harry Noonan.

—¿Cuánto te debo ahora?

CUATRO

El aire era suave y húmedo, el tempranero aire de una mañana que más tarde se convertiría en un día caluroso, pero que ahora todavía era fresco, debido a la brisa que provenía del agua. Ella pensó que lo que más le gustaba era ver cómo la rosada luz se filtraba a través de las hojas de los árboles haciendo resaltar el follaje de la ribera del lago. Era el tercer o cuarto día y durante cada uno de ellos habían sabido encontrar la manera de estar juntos. La noche anterior, Charles la había citado por la mañana temprano junto al embarcadero.

Él ya estaba allí. Lo vislumbró a través de la ancha entrada, con su camisa blanca destacando entre las sombras, inclinado sobre un bote, trajinando con un cabo. Ella se dirigió hacia la dársena pasando debajo de un cobertizo de madera. Cuando organizaban el plan para estar juntos, ninguno de los dos decía: no deberíamos estar aquí o a lo mejor nos pillan. Siân había salido de su dormitorio antes de que las demás muchachas se despertaran.

Él remaba sentado en el centro del bote y ella, desde la popa, lo observaba. Le gustaba la acompasada rotación de sus brazos acercando los remos a su cuerpo, aunque a veces, a causa de sus rápidos movimientos éstos golpeaban el agua salpicando a ambos. Por un instante, al cambiar de posición, sus rodillas se rozaron: las de él cubiertas por el pantalón de algodón, las de ella desnudas. Él la miró fugazmente; luego desvió los ojos. Remó hasta el centro del lago y después dejó que la brisa los empujara fuera del alcance de la vista, en dirección a la orilla oeste. Él colocó los remos dentro del bote y se dispuso a descansar.

El sudor invadía su cuello y su frente. Se quitó los zapatos y los calcetines. Le entregó a Siân su reloj y cuando se tiró al agua ella pensó que lo hacía más bien para romper el hielo que para refrescarse.

Salió a la superficie riendo y le dijo a Siân que, si se ahogaba, diera el reloj a su hermano pequeño. Ella sonrió. Deseó meterse con él en el agua, pero sabía que no podían regresar ambos con la ropa mojada y además, razonó, era impensable abandonar el bote sin tener un cabo o un ancla con que sujetarlo.

Él se alejó nadando. Nadó de costado, después surcó el agua con un perfecto crol. Con la primera luz de la mañana, el agua aparecía oscura a su alrededor aunque a lo lejos la superficie adquiría un reflejo rosado.

Rodeó el bote nadando de espaldas. Parecía feliz; se deslizaba por el agua sin el más mínimo esfuerzo. Hizo surgir de su boca un surtidor de agua como si fuera una ballena. Le gustaba hacer alarde de sus habilidades acuáticas. Le hizo preguntas, preguntas que desde la lejanía del agua eran más fáciles de formular. ¿Había hecho alguna vez algo verdaderamente malo?

¿Tenía novio? Y ella le respondió. «No, no tengo novio», dijo, «y una vez, hice autostop con un camionero en una autopista.»

—¿Y qué pasó? —le preguntó él asomando por la borda agarrado a la barca con una mano.

—Me llevó hasta el pueblo siguiente.

—¿Y qué más? —insistió él.

Ella estaba ya arrepentida de haber empezado a contar esa historia.

—Intentó besarme —respondió.

El diálogo quedó en suspenso entre ambos; el beso era un tema cargado de significado para unos niños de catorce años, un tema que ocupaba el centro de sus pensamientos. Él se quedó impresionado, sin atreverse a formular la siguiente pregunta, aunque ella sabía que esperaba ansioso la respuesta.

—No le dejé —dijo—; bajé del camión y eché a correr. Regresé a casa a pie.

—¿Estabas muy lejos? —preguntó Charles.

—A cinco millas.

Él se sumergió de nuevo en el agua, aliviado, y reapareció en la superficie.

—Pero eso no quiere decir que *tú* hayas hecho algo malo —dijo.

—Claro que sí —contestó ella—; subí al camión, ¿verdad?

Él pareció sopesar aquellas palabras.

—Bueno, fue una estupidez pero no fue algo malo.

—Yo pensé que sí era algo malo —añadió ella.

—¿Se lo dijiste a tus padres?

—Claro que no.

—Me apuesto lo que quieras a que te fuiste a confesar, que creíste que era un pecado.

Se agarró a la borda izando el cuerpo para subir al bote. La camisa transparente se le pegó al cuerpo. Los pantalones destacaban sus formas. Ella apartó la vista.

Se sentía ligeramente molesta: estaba segura de que era un pecado, seguía creyéndolo. Se había puesto voluntariamente en peligro.

Él remaba deprisa. Se acercó a la orilla. Ella podía distinguir el embarcadero y la cruz. Los demás estarían a punto de llegar para la misa matutina. En aquel momento, ella se preguntó qué haría Cal con su ropa mojada.

Una vez en la dársena, debajo el cobertizo, ella le entregó el reloj. No podía ver su rostro, le cegaba el reflejo del sol en el agua detrás de él, pero sabía que él sí podía ver el suyo. Notó el sutil roce de sus dedos al darle el reloj.

—Eres como yo —dijo él.

Cuando los demás llegaron a la capilla, ya estaba sentada en un banco. Una compañera le preguntó por qué no había ido a desayunar y ella le respondió que había ido a dar un paseo. Los demás muchachos alborotaban, se sentaban, se volvían a levantar, cambiaban de asiento. Ella se había sentado en el banco ligeramente reclinada, con el brazo apoyado en el respaldo como si estuviera cansada, esperando al sacerdote. De esa forma guardaba un sitio libre y, al llegar Cal, se enderezó y él pudo sentarse a su lado. Tenía el cabello mojado, pero su camisa y sus pantalones estaban secos. No se hablaron.

El sacerdote atravesó el claro y se colocó junto a la cruz. Los muchachos se levantaron, se arrodillaron y se sentaron de nuevo. Ella dirigió la mirada hacia el agua y se percató de que el color rosa se había vuelto azul. Tenía las manos suavemente entrelazadas sobre el regazo. Creyó sentir el calor del cuerpo del muchacho a través de la manga de su blusa.

Entonces, con un movimiento rápido, como si estuviera ensayado, pensado, practicado mentalmente, el chico levantó su mano colocada en el regazo y la mantuvo en la suya sobre el banco. Tenía la piel de la mano fresca y seca a causa del baño, pero ella advirtió que temblaba. Él le apretó la mano con más fuerza para detener el temblor. Ella sintió como si algo palpitara en la profundidad de su vientre. Su rostro estaba ardiendo. Bajó la vista, oyó cómo el sacerdote desgranaba unas palabras. El agua y el sol giraban a su alrededor.

El cielo está espeso y gris. Empieza a caer una ligera nieve como la ceniza de una hoguera. Lleva más de media hora esperando en el aparcamiento y le preocupa que ella no haya llegado, pues ya arrecia la tormenta. Esta mañana ha escuchado por lo menos media docena de veces la información del tiempo y ahora cree que, como la tormenta se aproxima por el oeste, Siân debe de estar ya metida de lleno en ella. Hoy se prevén grandes nevadas, la primera nevada importante de esta temporada. Esta mañana, a la hora de desayunar, sus hijos guardaban la esperanza de que no hubiera colegio a pesar de que mañana ya empiezan las vacaciones de Navidad. Piensa en Harriet, vestida esta mañana con el camisón de franela color rosa, en cómo le ha acompañado hasta la puerta, le ha deseado un buen día, ha mostrado su preocupación por aquel viaje con un tiempo tan malo y él ha respondido con una simple mueca. Ha tenido que decirle que iba a Connecticut por asuntos de negocios y que debía pasar la noche allí.

Sale del coche, se abrocha el abrigo y mete la bufanda en el interior del cuello del abrigo. El suelo del aparcamiento está resbaladizo; sus zapatos dejan unas huellas alargadas sobre la fina y húmeda capa de aguanieve. Se dirige hacia el comienzo del sendero, observa lo largo que es. Va a ser la primera noche que Siân y él pasarán juntos, la primera vez que dormirán en la misma cama. Nunca han estado juntos en la oscuridad. Hasta ahora ella siempre ha tenido que marcharse a casa después de comer para cuidar a su hija o para preparar la cena. Se siente como un hombre con la mitad de sus años que quizá no ha estado nunca con una mujer y para quien la promesa de pasar toda una noche con ella resulta un regalo extraordinario. Y aun así ya siente sobre él, como siempre, la presión del tiempo, los minutos que ya transcurren, el número de horas determinadas que podrá estar con Siân hasta que ella tenga que dejarlo y, cuando lo haga, sabe que el tiempo se detendrá, y se sentirá a punto de ser ejecutado. Recuerda que siendo niño, echado en la cama, se imaginaba que era un prisionero condenado a muerte que veía cómo el reloj avanzando segundo a segundo le robaba los minutos de vida. Le parecía el peor de los destinos: saber exactamente cuando iba uno a morir.

Hasta hoy, incluyendo su primera comida juntos, se han encontrado cuatro veces. Desde aquel día siempre se han visto en ese hotel y han subido directamente a la habitación. A él ya lo conocen. Cuando llama para hacer la reserva lo saludan con afecto. Las dos últimas veces, la dirección del hotel los instaló en una suite con un pequeño distribuidor y dos puertas con cerradura. Al entrar, Siân comentó en el acto, irónicamente, que les habían dado una habitación insonorizada. Siente el aguijón de su deseo ardiente y su cuerpo se tensa. Mira el reloj por décima vez en la última media hora. Ahora no puede pensar en ella sin ver al mismo tiempo las imágenes eróticas que han formado juntos: Siân dándole la espalda apoyada contra la pared empapelada con un austero papel de flores azul; Siân en la bañera; la habitación llena de vapor (sus gafas, que en seguida se quitó, como dos óvalos opacos) y él, completamente vestido, sentado sobre la tapa del inodoro bebiendo una cerveza en el vaso de los cepillos de dientes mientras contempla sus pechos flotando en el agua; Siân inclinando la cabeza para que él le desabroche la cremallera del vestido dejando al alcance de su mano la larga línea de su blanca espalda; la piel del interior de su muslo mojada después de haber hecho el amor.

Sabe que ni él ni ella son particularmente expertos o aventureros, sino que sus cuerpos son los que se desean mutuamente, se complementan e intentan comunicarse algo que no se puede expresar con palabras. Él comprende también que de alguna forma, por lo menos para ellos dos, *eros* está ligado al tiempo. Es con la propia urgencia del tiempo, al comprobar que los minutos que pasan juntos son cortos y están contados, cuando siente la necesidad de decirle lo que ha venido a decirle antes de que ella se vaya, porque no pueden desperdiciar ni los gestos ni las palabras. Pero también es, paradójicamente, la cruel memoria de los años perdidos, el agudo sentimiento que lo acosa cuando está con ella, de todos los días y de todas las horas perdidas, de la juventud que sus cuerpos nunca conocieron, de las miles de noches en que hubiera podido acariciarla serenamente, sin sentimiento de pérdida, sin culpabilidad ni ansiedad. Juntos no conocerán nunca el sentido del tiempo derrochado. Al contrario, piensa en las horas que han pasado juntos como en un tiempo robado o salvado: espacios de tiempo en sus mutuas y separadas realidades.

Deshace lo andado, camina de cara a la nieve, se dirige al aparcamiento. El hotel, en la penumbra de los cielos bajos, es acogedor. La puerta adornada con acebo y las ventanas iluminadas por pequeñas velas eléctricas en sus alféizares invitan a entrar. Ha traído un regalo para Siân y se lo entregará esta noche antes de bajar a cenar. Ésta será, tendrá que ser su Navidad, la de ellos; tiene la certeza de que antes de las Navidades no podrán volverse a ver, quizá no podrán hacerlo hasta pasado Año Nuevo. Ignora cómo sobrevivirán a las vacaciones y pensando en eso vuelve a sentir el tirón de las algas en el sedal, el complejo de culpabilidad, el caos de los problemas circunstanciales y su incapacidad para resolverlos. Tiene una esposa y tres hijos, los tres inocentes, los tres creyentes en los rituales de la víspera y la mañana del día de Navidad, cada uno de ellos ignorante de su infidelidad. Ha traicionado a su familia deseando acostarse con otra mujer, *amar* a otra mujer, pero no puede dejar de pensar en que también los ha traicionado con el desastre de su ruina económica. Dentro de pocos días tendrá que decirle a Harriet, si no puede llegar a un acuerdo con el banco, que no solamente van a perder la casa y todos los bienes que hay en ella, sino que tendrá que declararse en bancarrota para deshacerse de los acreedores que lo están acosando. No sabe qué es peor, si decirle a su esposa que ama a otra mujer, o que ya no puede ocuparse de la familia como siempre ha prometido hacerlo.

Cree que esas grandes traiciones no pueden ser perdonadas, aunque a veces se pregunta si las pequeñas no son las peores. Piensa en la cantidad de veces que durante esas últimas semanas ha mentido a su mujer: el sábado pasado por la noche salió dos veces de una fiesta de Navidad que compartían con sus vecinos, alegando que iba a echar una ojeada a los niños cuando en realidad buscaba una cabina telefónica para llamar a Siân, que aquella noche estaba sola. («Esto es una tortura», recuerda haber dicho a Siân aquella noche.) Ha vaciado furtivamente la botella de leche por el desagüe del fregadero y luego ha dicho a su mujer que ya irá él a la tienda en lugar de ella, para asegurarse de que por la mañana los niños tuvieran leche para desayunar (seguro que esto no se puede perdonar: utilizar el amor paterno para el adulterio), cuando en realidad lo que intentaba hacer e hizo era encontrar otra cabina telefónica para llamar a su amante. Conoce el emplazamiento de todas las cabinas telefónicas de su pueblo y de las comunidades vecinas. Sabe con precisión en qué cabina podrá hablar sin ser molestado, cuál lo conecta más rápidamente con la centralita, cuáles son las mejores para utilizar durante el día y cuáles durante la noche. Puede marcar el número de Siân y el de su tarjeta de crédito en muy pocos segundos, con y sin gafas, en la oscuridad o en plena luz del día. Marca los números a ciegas como lo haría alguien que intenta desesperadamente localizar a su proveedor de droga.

También se pregunta, y no es la primera vez, cómo se las arregla Siân en su propia casa. Cuando la llama, sabe de inmediato si su marido está o no en la habitación por la forma en que contesta al teléfono. Han mantenido conversaciones que resultarían cómicas si no fuera por lo grave de la situación. Él le habla, le hace preguntas. Ella responde ambigua e impersonalmente, como si estuviera contestando a la encuesta de una cadena de televisión o a preguntas sobre una causa política. En las semanas que han estado juntos, le ha expresado y contado más cosas que a ninguna otra persona. Desde luego, a su mujer nunca le ha hablado como lo hace a Siân.

No conoce su casa, pero cuando habla con ella por teléfono y cuando piensa en ella durante el día (una prolongada serie de imágenes y pensamientos interrumpidos únicamente por el momentáneo e intenso esfuerzo para concentrarse en una tarea o para responder a una pregunta dirigida a él), intenta visualizar cómo es su vida con su hija y su marido. A veces la imagina vestida con una camiseta y peinada con una cola de caballo, inclinada sobre la repisa de la cocina con el teléfono en una mano y preparando la comida con la otra. A menudo, cuando la llama, ella comparte su atención con Lily, su pequeña de tres años de edad que habla sin cesar junto a ella. Cree que Siân es una buena madre; le gusta la forma en que habla a su hija, lo que dice de su hija. No está tan seguro de saber cómo es Siân como esposa. No puede imaginarla sentada a la mesa con otro hombre, abrazando a otro, en la cama con otro. Intuye, ella se lo ha insinuado, que su matrimonio no va muy bien, a lo mejor nunca fue bien. Una vez apuntó que en su relación había un vacío, y él se ha agarrado a ese comentario e incluso lo ha exagerado, lo ha adornado, y también sabe que de su poesía él ha intuido una especie de desolación, de desierto. Ella no ha dicho casi nada sobre la relación sexual con su marido y Charles no le ha preguntado nada (aunque es precisamente esta pregunta la que le atormenta, la que parece estar siempre en la punta de su lengua cuando está con ella, la pregunta que a veces teme formular a pesar de sus buenas intenciones), dejando aparte aquel comentario que hizo refiriéndose a que estaba «congelada». A veces tiene la esperanza de que esto signifique que ella y su marido ya no hacen el amor; otras veces sabe que esto no puede ser verdad y esta certidumbre lo pone enfermo. ¿Es realmente posible que desde que él la besara no haya hecho el amor con su marido?

Se sacude la nieve de la cabeza y golpea el suelo con los zapatos para quitarse el frío. Dice en voz alta «a la mierda», como si así pudiera rechazar el sentimiento de desesperación que ahora lo invade como una espesa niebla. Este sentimiento lo asalta en particular cuando permite que sus pensamientos formen imágenes de Siân en su casa, con su hija, o cuando en su hogar contempla a sus propios hijos. Ahora no quiere imaginarse la vida sin Siân; sin embargo, su mente no puede ni empezar a dilucidar cómo podría conseguir una vida junto a ella. Aunque él fuera capaz de dejar a Harriet y a los niños (cosa que a veces le parece tan imposible como cortarse un pie), ¿sería Siân capaz de hacer lo mismo?, ¿querría hacerlo?, ¿abandonaría a su esposo, el matrimonio y la granja fácilmente? Imposible. ¿Y luego, qué? ¿Irían Siân y su hija a Rhode Island a vivir con él?, ¿podrían vivir en algún lugar a mitad de camino entre uno y otro pueblo? Y si fuera así, ¿qué sería de su negocio? Por muy mal que vaya su negocio, tiene sus cimientos en un lugar concreto. Si consigue salvarlo, si resiste a la presente recesión, ha de ser en esta comunidad precisa, o, ¿sería factible empezar de nuevo en otro sitio?

Oye llegar un coche; el sonido apagado de los neumáticos sobre el empedrado resbaladizo. Charles se vuelve hacia el lugar de donde proviene el ruido. Ella frena. El coche se desliza suavemente. Baja el cristal de la ventanilla. Su rostro aparece arrebolado por los nervios que ha pasado conduciendo con ese tiempo o (desea él) quizá por la impaciencia de estar con él. Charles se inclina, la besa en la boca. Ella sonríe; parece estar tan excitada como él al disponer de todo un día para ellos solos.

—Pensé que no llegabas nunca —dijo él.

—Por nada en el mundo dejaría de llegar —respondió ella. Él abre las puertas y entra en la habitación detrás de ella. Las ventanas están adornadas con bombillas en forma de vela, la chimenea está encendida y en el centro de la mesa, colocada entre las ventanas, hay un frutero lleno a rebosar. Ella se vuelve hacia él con una expresión de sorpresa en su rostro.

—¿Ellos lo...?

Él asiente con un gesto de cabeza.

—Lo saben —dice ella.

—Claro que lo saben.

Él sonríe. El fuego de la chimenea y la fruta parecen ser un presagio, una señal de que los demás los han visto juntos y lo aprueban. Ella se quita el abrigo. Lo deja resbalar hasta que queda como un bulto sobre una silla. Lleva el cabello sujeto a los lados con la melena cayéndole por la espalda. En las sienes tiene más canas de las que él había visto anteriormente. Ella parece ser consciente de su cabello y se lo toca, lo alisa. Tiene el rostro resplandeciente a causa del frío. Se ha puesto un vestido negro de manga larga. Se sienta en una silla. Se quita las botas de cuero. La nieve derretida de las suelas y de los tacones forma unos pequeños charcos sobre el pulido suelo de madera.

Él se arrodilla ante ella, hunde la cabeza en su regazo. Ella pone la mano en la nuca de Charles, apoyando su cabeza sobre la de él.

Siente el calor de sus muslos en ambos lados de su cara, el contacto suave de la lana del vestido en sus mejillas. Ella lo sostiene como a un niño y él siente ganas de llorar. Desean algo tan simple como tener tiempo para estar juntos, tiempo para vivir juntos toda una vida, lo que les queda de vida y, sin embargo, sabe que ésta sencilla meta está llena de complicaciones interminables: un sinfín de responsabilidades y compromisos, de decepciones y traiciones. «¿Por qué, por qué, por qué...», se pregunta silenciosamente por centésima vez, «... no permanecieron en contacto de alguna manera, con todo lo que esto significa, hasta que hubieran sido suficientemente mayores para volver a encontrarse?» ¡Qué enloquecedor es saber que se conocieron de niños cuando no tenían ningún control sobre sus vidas!

Su rabia, su dolor y el anhelo por esta mujer lo invaden con un deseo tan fuerte que lo hacen temblar. Siente ganas de devorarla y tiene miedo de hacerle daño involuntariamente. Levanta la cabeza para que ella pueda ver la expresión de sus ojos, lo que él está sintiendo. Siân le acaricia la cara. Es posible que *esté* sollozando. La levanta de la silla y la arrastra hasta el suelo. Alza su falda hasta la cintura, le quita la ropa interior. Encuentra su sexo con la lengua, lo besa, lo acaricia con la boca, espera oír el leve gemido que surge de la profundidad de su garganta, un suave gemido de abandono como el de un animalito, y en ese momento contempla el delicado arco que forma su cuello tan blanco, su cabeza echada hacia atrás y su boca ligeramente entreabierta.

Y cuando ella goza él cree que, posiblemente, la imagen más erótica de todas es la de sus fosas nasales palpitantes vistas desde su vientre.

—Es precioso —dice ella girando sobre sí misma como un maniquí. El salto de cama es corto y sedoso, y por detrás casi no le cubre, lo cual provoca su risa y la ruboriza al mismo tiempo. Se sienta en una silla tapizada, cruza las piernas e intenta parecer recatada, en un intento casi imposible. El salto de cama, ligeramente drapeado, se abre en la curva de sus senos y ella no hace ningún movimiento para ceñírselo. A él le gusta contemplarla vestida con el salto de cama, sentado en el lecho. También le gustó elegirlo en la tienda, pensar en ella así vestida, aunque sabe que tendrá que esconderlo cuando regrese a casa. Quisiera tener un lugar para ellos por muy pequeño que fuera, para que ella pudiera colgar la prenda en el armario y guardarla siempre allí. Desearía prepararle una buena comida.

—Te quiero —dice ella.

—Lo sé.

—Pero me siento mal.

—¿Por qué?

—No te he traído ningún regalo. No he encontrado nada que puedas llevarte a casa y que exprese lo que yo quiero decirte.

Él reflexiona sobre lo que le acaba de decir.

—¿Qué podrías haberme comprado que exprese lo que quieres decirme y que yo pueda llevármelo a casa?

Ella sonríe, medita.

—Un lago, por ejemplo.

Él suelta una carcajada.

—O un pequeño país.

—O quizás este hotel —sugiere él.

—Buena idea —dice ella—, o un avión.

—¿Un avión?

—Hummm. Y clases para aprender a volar.

—Me gustaría un biplano; siempre me han gustado los biplanos.

—O años —dice ella.

—Unos treinta más o menos.

—¿Del pasado o del futuro?

—De ambos. ¿Cuántos años crees que nos quedan?

El corazón de Charles da un brinco. Ella *también* piensa en los dos juntos.

—Mi abuelo vivió hasta los noventa y seis —dice—

y en plena posesión de sus facultades. Y bebía Jack Daniels y fumaba medio paquete de cigarrillos al día.

—¡Ya lo tengo! —exclama ella, satisfecha consigo misma—: el regalo ideal. Un vídeo de nosotros dos juntos aquí, cuando éramos niños, de toda aquella semana, de cómo éramos, de cómo sonaban nuestras voces.

Él intenta imaginar cómo sonaba la voz de ella entonces; desearía poder saberlo, oírla siquiera por un momento.

—Sabemos cómo éramos por las fotos. De todas formas, yo no necesito un regalo, no quiero un regalo, con tu presencia me basta.

—No es suficiente —insiste ella.

—No. Tienes razón, no lo es.

Ella se inclina hacia delante, cruza las manos sobre sus rodillas.

—Me pregunto —dice—, si tuviéramos todo el tiempo del mundo, si supiéramos que podemos estar juntos durante el resto de nuestras vidas, ¿nos aburriríamos el uno del otro?, ¿nos pelearíamos?

Ella ríe.

—Lo dudo —responde él.

—Nunca lo sabremos.

—No digas esto, por favor.

—Y también me pregunto —añade—, si hubiéramos estado juntos durante todo este tiempo, ¿cómo nos sentiríamos ahora? ¿Seríamos tan felices como lo somos en estos momentos? ¿Hubiéramos apreciado lo que teníamos, quiero decir, si no hubiéramos conocido la crueldad de la ausencia?

—Quiero creer que sí lo hubiésemos sabido —responde él—, lo hubiésemos sabido siempre.

—Cuando era más joven, probablemente no te hubiese gustado; me habrías encontrado demasiado rígida, o demasiado reprimida, o demasiado seria, o lo que fuera. Fui técnicamente virgen hasta los veintidós años. E incluso entonces no sabía nada de nada. Creo que mi vida erótica se perdió o fue enterrada por alguna razón, seguramente a causa de la religión. Ésa es una de las razones por las cuales no pienso llevar a Lily a la iglesia, aunque la madre de Stephen piense que la estoy condenando.

—Yo perdí mi virginidad a los diecinueve años. Entonces parecía tarde.

Charles aparta la mirada, como queriendo posponer por más tiempo la imagen de Siân perdiendo su virginidad a la edad que fuera.

—No —dice volviéndose de nuevo hacia ella—; déjame que te diga que no importa cuándo te hubiese conocido, no importa en qué momento podría haber sido; hubiera dejado siempre lo que estaba haciendo o a quien estuviera conmigo para estar contigo.

Un estremecimiento de miedo recorre el semblante de Siân.

Aunque él haya pensado únicamente en eso, y ahora sabe que ella también tiene que haberlo hecho, nunca han hablado de abandonar sus respectivos hogares para estar juntos.

—Sabes que tenemos que estar juntos —dice él con voz apagada.

Ella sacude la cabeza. No responde.

—Siân.

Ella vuelve la cara hacia otro lado.

—Ahora no —dice—, por favor.

Él toma aliento, lo exhala.

—Está bien —dice—, pero sabes que tarde o temprano tendremos que hablar sobre eso.

—Sólo quiero que esta noche sea una noche llena de felicidad —dice—, sin complicaciones, ¿o no es posible?

—Lo siento —responde él levantándose de la cama y acercándose hacia la silla en la que está sentada—, lo será.

Desliza el salto de cama por sus hombros hasta que éste queda suspendido sobre sus brazos. Se arrodilla, contempla sus pechos. Son pequeños y redondos. Debajo de éstos se dibuja la línea de su vientre, la curva de sus embarazos. Se inclina hacia delante, le besa el vientre, luego el pecho izquierdo.

—¿Es éste? —pregunta.

—¿El qué?

—En el banco, la primera noche.

Ella recapacita unos segundos.

—Sí, creo que sí.

Y recoge la prenda sobre su pecho, cubriéndose.

—Son pequeños —dice.

Él mira la tela fruncida que ella sujeta con la mano.

—Bueno, la ventaja es que nunca colgarán —dice.

Ella ríe.

—Claro que colgarán.

—No, no colgarán.

Se vuelve a inclinar hacia ella.

—Son pequeños —dice—, pero sé a ciencia cierta que les gusta ser besados.

—Señor Callahan.

El *maître* de hotel saluda a Charles y le precede hasta la que parece ser su mesa durante esas semanas en las que han visitado el hotel. La nevada, al otro lado de las ventanas, ha amainado; la tormenta se aleja. Charles atraviesa el largo comedor detrás de Siân, sujetándola ligeramente por la cintura. Se ha dejado el cabello suelto cayendo por la espalda del traje en forma de abanico. Un collar de perlas rodea su cuello. Charles pide inmediatamente una botella de champán como había planeado.

Se sientan uno al lado del otro; él le coge la mano. Siân cruza las piernas y roza con sus dedos un pesado tenedor de plata. Él observa la habitación. Esa noche sólo hay tres mesas ocupadas. Charles sospecha que la tormenta es la causante de que la gente no haya acudido, aunque no está seguro porque nunca ha estado allí a la hora de cenar. Hoy, en el centro de la mesa, en lugar de flores, hay un árbol de Navidad, un pequeño y simple árbol con luces blancas. La campana de la chimenea está decorada con unas ramas de abeto salpicadas de velas blancas.

—¿Es bonito, verdad?

Ella asiente con un gesto de cabeza. Parece que le ha cambiado el humor. Se ha puesto seria.

—¿Qué te pasa?

Ella vuelve a sacudir la cabeza.

—Nada.

—Te has quedado pensativa.

Ella sonríe.

—Es *muy* bonito. Lo siento.

El camarero trae el champán, descorcha la botella y llena las copas. Charles alza la suya.

—Por los regalos que no podemos hacernos —brinda.

—Que no podemos hacernos todavía —añade Siân.

Ella da un sorbo sin que sus ojos se encuentren con los de él. Vuelve a dejar la copa sobre la mesa.

—¿Cómo se presentan tus Navidades? —pregunta Siân.

Él suspira. Así que era eso lo que la tenía pensativa. Mira su boca, la larga curva de su labio inferior.

—¿Estás segura de que quieres saberlo? —inquiere—. Sería mejor no profundizar en ello.

—Sí que quiero saberlo. Me gustaría tener una idea de lo que vas a hacer aquella noche, aquel día.

Él duda. Lo invade un sentimiento que ya es habitual en él: la sensación de que, conteste como conteste a esta pregunta, la respuesta será siempre equivocada.

—¿Estás escribiendo? —le pregunta en lugar de responder.

Ella vuelve la cabeza ligeramente hacia un lado. Parece sorprendida por la pregunta.

—Un poco —dice—. Te escribo a ti. Ahora no puedo trabajar bien. Creo que podría decirse que estoy demasiado... preocupada.

—Sé muy bien lo que quieres decir.

—Estás intentando desviar la conversación.

—Está bien, está bien. Te lo cuento. Los padres de mi mujer, los míos, la hermana de mi mujer y sus hijos vendrán a cenar en Nochebuena y yo estaré metido de lleno en la cocina, guisando.

—¿Celebráis la Navidad en Nochebuena?

—Los mayores sí. Nosotros abrimos los regalos por la noche, cuando los niños ya están en la cama. Ellos los abren por la mañana.

—Ah, ¿y vais a la iglesia?

—Yo no y Harriet tampoco... —una sombra cruza por la mirada de Siân. Él se arrepiente de haber mencionado el nombre de su mujer—... pero mis padres van a la misa de gallo y a lo mejor mi hija Hadley irá con ellos. Normalmente yo me quedo fregando los platos.

Siân permanece silenciosa junto a él. Charles sabe la composición de lugar que ella se está formando, lo que está imaginando, lo que quisiera preguntar, pero se abstiene: ¿intercambian regalos él y su mujer? ¿Cuándo lo hacen: en presencia de los demás o cuando están solos? Él contempla cómo Siân vacía la copa y la desliza hacia el centro de la mesa solicitando más champán. Él le llena la copa de nuevo en silencio. Ella se la lleva a los labios, la vacía casi de un trago.

—Siân... —le dice él.

—¿Quieres saber cuáles son los ritos de mis Navidades y así podrás hacerte una idea de lo que voy a hacer?

—Siân, no...

—Es bastante interesante. De veras, Charles, déjame que te lo cuente.

En su voz hay un ligero tono de amargura que Charles nunca había oído antes. Vacía la copa y vuelve a alargarla.

—Este champán está delicioso —dice—. Tienes muy buen gusto, ¿sabes? Esta noche tengo ganas de emborracharme. ¿Por qué no?

Charles le vuelve a llenar la copa de mala gana.

—¿Por qué no pedimos la cena?

—Dentro de un minuto —responde ella—; primero quiero contarte cómo transcurre la Nochebuena en una granja de cebollas polaca. Uno no conoce lo que es la vida hasta que no ha pasado unas Navidades en una granja de cebollas polaca.

—Siân, ¿por qué estás haciendo esto?

—La verdad es que antes me solían gustar esos ritos. Me gustaban los ritos de cualquier tipo para romper el silencio habitual. Me gustaba tener en casa cuanta más gente mejor...

—Hablemos de otra cosa.

—La cena de Nochebuena se llama Vigilia. La celebramos en mi casa con toda la familia, bueno, con toda la familia de Stephen. A mi padre le hacemos una visita el día de Navidad. Yo empiezo a cocinar unos cuantos días antes con la madre de Stephen. Me imagino que puedes hacerte una idea, ¿no?; su madre y yo en mi cocina haciendo pirogis. Yo sí. No puedes figurarte lo buenos que son. A ti que te gusta cocinar, tendrías que aprender a hacerlos...

—Siân.

—Los relleno con col agria, o con patatas, o con queso de granja y patatas, o con ciruelas. Los de ciruela son particularmente exquisitos...

—Si quieres, podemos subir arriba y bajar más tarde —dice él. El rostro de Siân está congestionado y sus ojos brillan demasiado.

—Y nunca comemos carne. Sólo pescado. Tomamos arenques en escabeche. ¿Te gustan los arenques en escabeche? Y lucio, y carpa. Y borscht, aquella sopa de remolacha. Y a veces, sopa de col. Y col agria con sardinas. Y pan de semilla de amapola. E higos y dátiles. Y todos nos atiborramos. Ah, casi me olvidaba, hay que dejar un sitio vacío para el visitante desconocido. ¿Sabes quién es el visitante desconocido, verdad?

Charles recorre el comedor con la vista. Los cortinajes de grueso lino blanco doblados bajo el peso de unas anclas de plata son extraordinariamente bonitos, acogedores. Cuando se vuelve para mirar por los grandes ventanales observa que ha dejado de nevar. Dentro y fuera del comedor reina una quietud que no es de este mundo, el silencio de un edificio rodeado por la nieve recién caída. Y, ¿es sólo su imaginación o realmente todos los comensales se han quedado inmóviles escuchando atentamente la voz de Siân, animada y quebradiza al mismo tiempo, como si se tratara de un pedazo de cristal a punto de hacerse añicos?

—Pues bien, es Jesucristo.

Deja la copa encima de la mesa, se levanta lentamente con un cuidado excesivo y camina deslizándose entre las mesas con movimientos que parecen sacados de una coreografía. Se vuelve delicadamente sin mirarlo. Él observa cómo cubre la larga distancia a través del comedor, con el paso reposado, la espalda erguida. Sus tacones martillean rítmicamente el suelo de madera. Él la sigue con la mirada hasta que desaparece por el ángulo de una pared.

Lo del champán ha sido un error. No han comido nada en todo el día. Esperará un momento y luego la seguirá hasta la habitación. A lo mejor tendría que descansar un poco antes de cenar. Le propondrá darle un masaje en la espalda. Seguro que el restaurante estará abierto hasta tarde, hablará con el *maître*. Sabía que era una situación arriesgada; él había intentado advertirla; no obstante, eso tenía que suceder. También era fruto de su propia rabia por lo que hubiera podido ser y no fue. ¿Podrá alguna vez oírla hablar sobre su vida o ella sobre la suya sin sentir dolor?

Levanta la vista. Un camarero se inclina por encima de su hombro.

—Lo siento señor —dice el hombre—, pero he pensado que debería saber que...

—¿Saber qué?

—Que su amiga parece sufrir una indisposición.

Charles se levanta.

—¿Dónde está?

—En el tocador de señoras, señor.

La encuentra arrodillada delante del inodoro con los pies separados. En el centro del lavabo hay una camarera de pie que parece no querer acercarse a la indispuesta Siân. Es la única persona presente. Charles hace un gesto con la cabeza a la camarera indicándole que se retire.

—Ya me ocupo yo de ella —dice.

Siân vomita en el inodoro y alarga la mano para hacer bajar el agua. Charles se pone de cuclillas a su lado apoyando la espalda en la pared. El rostro de Siân está blanco como el papel y unas gotas de sudor perlan su frente. Él le sujeta el cabello hacia atrás con una mano y con la otra le sostiene la frente.

—No es nada, no es nada —le dice—; déjalo salir, déjate ir, no luches para impedirlo.

Lo mismo les dice a sus hijos cuando se encuentran mal en medio de la noche.

—No puedo hacerlo —gime Siân—. No puedo hacerlo.

—Todo está bien, Siân, todo está bien.

—No, no está bien. No está nada bien. Mi hija está en casa sin mí. He de mentir todo el tiempo. Nos vimos privados de todos aquellos años y ahora es demasiado tarde. No habrá tiempo para estar juntos. Ambos tenemos una familia que nos necesita.

—Ya encontraremos la solución —dice Charles a media voz.

Vomita de nuevo, se seca la boca. Él vuelve a vaciar la cisterna.

Siân se sienta en el suelo, apoyada en una esquina del cuarto de aseo con las rodillas levantadas. No parece importarle adoptar aquella postura con las piernas separadas como si llevara pantalones tejanos y estuviera descansando apoyada contra una pared de piedra. Él saca un pañuelo del bolsillo de su chaqueta y se lo tiende. Su cara está cubierta de sudor y sus cabellos rizados resbalan por su cara hasta las orejas, como húmedos aretes. A la luz del fluorescente y con el rostro tan pálido se distinguen, uno por uno, los cuarenta y seis años que tiene; es una mujer de mediana edad, diría él ahora, y sin embargo, mirándola con detenimiento, puede verla a todas las edades: la mujer que ha sido y que será, desde su juventud hasta la edad madura. La claridad de las imágenes lo asusta; sólo sabe que la quiere, que no desea nada más en este mundo que cuidar de ella si se lo permiten.

—No lo entiendes —dice ella con los ojos enrojecidos y las mejillas húmedas. Alcanza a coger un trozo de papel higiénico y se suena—. El día de Navidad, mi marido se levanta temprano y se dispone a hacer rosquillas. Estas Navidades me regala una edición de mi libro con las tapas de cuero. Por la mañana colocamos una manta en la entrada del salón para que Lily no pueda ver sus regalos y luego la retiramos ceremoniosamente mientras ella grita de alegría. A mi hija le encanta la comida polaca. Incluso a mí me gustan los pirogis. ¿No comprendes? Todo esto no vamos a poder borrarlo.

La voz de Siân tiene ahora un timbre que él nunca había oído antes. Observa cómo apoya la cabeza en la pared y suspira profundamente.

—He terminado —dice cerrando los ojos. Tiene un aspecto lamentable, está agotada—. Hace años nuestras familias nos separaron y ahora vuelven a ser nuestras familias las que nos separan de nuevo.

—Yo te ayudaré —dice Charles.

Ella sacude la cabeza.

—No, tú no puedes ayudarme —dice con voz apagada—, ninguno de los dos podemos ayudarnos y ésta es la pura verdad.

Apoyada en su brazo logra incorporarse. Él observa cómo se lava la cara en el lavabo y se seca con una toalla. Se enjuaga la boca varias veces. Se pasa los dedos por el cabello echando hacia atrás los húmedos mechones.

—Necesito un poco de aire fresco.

—Lo sé —responde él; traeré los abrigos.

Regresa de la habitación con los abrigos, las bufandas y las botas de Siân. Ella se cambia de calzado en el vestíbulo.

—Espérame aquí —dice Charles antes de salir—; volveré en seguida.

Cuando se reúne de nuevo con ella lleva una escoba en la mano.

—La he conseguido en la cocina.

—¿Para qué la quieres?

—Ya lo verás.

Afuera, la nieve que cubre el césped parece una amplia manta blanca, virgen, sin pisada alguna. Mientras se dirigen hacia el sendero, Charles calcula que la nieve tiene un grosor de aproximadamente diez o quince centímetros. Ha salido la luna y brilla a través de los últimos cúmulos de nubes. Va a ser una noche clara y fría.

La sujeta por el brazo para ayudarla a caminar por la nieve. Las botas que lleva Siân son de noche, con tacón alto, y no están hechas para andar por el campo. Al llegar al centro del césped, él se vuelve para contemplar el hotel que han dejado atrás. La fachada parece estar en llamas, el resplandor del interior dibuja unos charcos de luz dorada sobre la nieve. En la oscuridad parece como si en el interior del hotel se estuviera celebrando una gran fiesta de Navidad, con muchos huéspedes vestidos de terciopelo, dorado y negro, las copas de champán en sus manos y sonriendo bajo el acebo con los rostros iluminados por la luz de las velas. Charles tiene la fugaz impresión de haber dejado atrás algo transcendente y sumamente acogedor.

Avanzar entre los abetos se hace cada vez más difícil. La luna está parcialmente cubierta. Junto a él, Siân ha empezado a respirar con más normalidad. Él lleva la escoba al hombro como si se tratara de un rifle.

Una vez en el claro, apenas distinguen entre las sombras la forma de los bancos en la nieve. Charles se acerca con Siân al banco más próximo al lago, el mismo en el que se sentaron hace unas semanas, y aparta con la escoba la nieve que lo cubre.

—¿Querías la escoba para esto?

—No exactamente.

Ella se sienta en el banco con las manos en los bolsillos del abrigo y el cuerpo encorvado por el frío reinante.

—Voy a inspeccionar el hielo —dice él.

La nieve sobre el lago es de un color azul desteñido por la tenue luz de la luna. No está seguro dónde acaba la orilla y de dónde empieza el lago. Cuando pisa el hielo las suelas de sus zapatos resbalan sobre la dura superficie. Sabe que está destrozando los zapatos y además que sus pies están completamente helados. Anda por la superficie del lago unos siete u ocho pasos, salta para comprobar el grosor del hielo. Parece sólido. Entonces empieza a barrer. La nieve nueva y fina vuela por los aires sin esfuerzo alguno como una nube de polvo. Tras despejar un pedazo de superficie del tamaño de una pequeña habitación, se desliza por el cuadrilátero recién formado dirigiéndose hacia el lugar donde está sentada Siân.

—Vamos a caminar por las aguas —dice tomándola por la mano.

—¿Estás loco? —replica ella.

—Bueno, no es nada nuevo.

Primero la coge de la mano, luego, cuando llegan al hielo, la sujeta por el brazo. Ella, apoyada en él, pisa el hielo tanteándolo. Charles, cargado con el peso de ambos, teme por un momento resbalar y caer con ella al suelo, pero sus zapatos aguantan y él la ayuda a encontrar el equilibrio. Juntos se deslizan hacia delante, primero un pie y después el otro.

Charles suelta el brazo de Siân pero continúa cogiéndola por la mano. Caminan así sobre el hielo y por momentos, al notar que va a perder el equilibrio, ella se abraza a él. Forman dos oscuras siluetas en el lago. Él apenas puede distinguir la cara de Siân.

—Siempre te querré —dice ella.

—Lo sé.

Un pájaro, quizás una lechuza, lanza un grito desde la otra orilla del lago, pero la nieve que los rodea hace de amortiguador, suavizando los sonidos del mundo exterior.

Una vez en el centro del pequeño cuadrilátero que ha dispuesto, Charles se vuelve hacia ella y acto seguido la coge por la cintura estirando el brazo con la clásica postura para bailar. Ejecutan unos cuantos pasos resbalando sobre el hielo. Se apoyan el uno en el otro para mantener el equilibrio.

—¿Qué música oyes? —pregunta Siân.

—No me vas a creer —responde Charles.

—A lo mejor sí que te creo.

—El concierto número dos de piano de Brahms. ¿Lo conoces?

—Creo que sí.

—¿Por qué parte vas?

—Estoy en el tercer movimiento. El trozo lento, aquel que empieza con el violoncelo.

—¡Oh!

—Es un concierto, pero parece una sinfonía —le dice él—. Antes creía que era la pieza de música más bonita que jamás había oído y todavía no estoy seguro de que no sea así. A veces, cuando no hay nadie en casa, lo pongo a todo volumen y me complazco escuchándolo. Creo que es el concierto más largo que jamás se haya compuesto. El día del estreno fue el propio Brahms quien hizo de solista. ¡Dios mío!, cómo me hubiera gustado asistir a ese acontecimiento. Tengo varias versiones, pero la que más me gusta es la de Cliburn con la orquesta sinfónica de Chicago. Aunque la de Rudolf Serkin es absolutamente...

—Charles.

Ella le pone su mano enguantada en la cara.

—¿Qué pasa?

—Para.

—¿Que pare?

—Eres peor que yo con la comida polaca.

Su rostro a la luz de la luna está pálido y demacrado. A pesar del grueso abrigo, de la bufanda y de los guantes, a Charles le parece verla desnuda; en la frescura de la noche su rostro aparece despejado y sus grandes ojos negros abiertos de par en par. Charles sabe que éste es un momento para los dos, un momento en el tiempo, una perla engarzada en un hilo muy corto.

—Si te dispones a patinar sobre una fina capa de hielo —susurra en la noche helada—, más vale que bailes.

A través de las cortinas entra la luz. Están en la cama desnudos, ella encogida, pegada a él, cuerpo contra cuerpo. Al despertar se da cuenta de inmediato que tiene una erección; sabe que no se trata de una erección fisiológica, pues ya estaba allí cuando se disipaban sus sueños. Por un instante ve su rostro y luego esta visión desaparece. Le acaricia el pecho, el pequeño pezón casi siempre erecto, su vientre, la suavidad de su vientre. Ella no hace ejercicio y de alguna forma sus curvas lo atraen. La acaricia con un lento y suave movimiento circular de la mano y ella se despierta y se pone boca arriba. Él es consciente de que debe de tener el aspecto de un animal antidiluviano, con su cabello ralo esculpido en la frente, pero ella le sonríe, lo abraza, cambia ligeramente de posición de tal forma que con un sólo movimiento él se coloca sobre ella. La penetra inmediatamente, sin necesidad de ser conducido. Su sexo está húmedo como si en su sueño hubiese estado esperándolo. ¿*Ha sido* un sueño la causa de su deseo, se pregunta, o ya viene de antes, de muchas horas antes durante esa noche? Él le separa las piernas, siente como si ambos formaran una sola pieza. Puede ver su cara. La excitación de ella es contagiosa, alimenta la suya y sabe que la suya provoca la de Siân. Observa cómo la boca de Siân se abre; con su lengua recorre el contorno de sus labios, le alisa el cabello de la frente. Se incorpora apoyando el peso de su cuerpo en las manos. La mirada de Siân se dirige rápida de su rostro a sus hombros y otra vez a su rostro. Él observa cómo en el cuello de Siân aparece un rubor que acaba por cubrir toda su cara. Son prisioneros de un profundo y lento ritmo semejante al vaivén de las olas. Al cabo de un rato, él ve el ligero arqueamiento de su cuello y sabe que está muy próxima al orgasmo. Había dudado de que fuera posible, pero ahora parece incluso inevitable. Él siente que también está muy próximo, se controla, observa la inclinación de la mandíbula de Siân. Dentro de unas horas tendrán que separarse reclamados por unas vidas sin sentido. Ahora sólo tienen esto, y esto lo es todo. La estructura del mundo que los rodea potencia su urgencia. Espera a que ella cierre los ojos como casi siempre hace cuando se acerca el final, pero esta vez los abre de golpe llenándolo de asombro.

—Quiero mirarte —susurra ella.

Y al decir estas palabras Siân goza, y él con ella, y es sólo unos segundos más tarde cuando Charles oye otra vez los susurros entrecortados y el placer que expresan sus gemidos simultáneos.

Fue breve y, sin embargo, fue toda una vida. Solía pensar que eso era algo que yo no experimentaría nunca, que los tiempos en los que me habían educado y la iglesia con la que casi me casé lo habían alejado de mí o lo habían eliminado de mi persona, pero tú me lo diste o yo te lo dí a ti, y ahora no puedo separar tu cuerpo de mis palabras ni el mío de mis pensamientos. No puedo separar lo que hicimos de quienes éramos. Cada imagen es una imagen erótica y todas armonizan, grabadas ahora en piedra como cincelados capullos a medio florecer.

En diciembre, la tierra negra retuvo durante mucho tiempo el calor después de que las otras se helaran como si, junto con la luz, se hubiera tragado el sol. Las primeras nieves se derretían sobre los campos de cebolla como si fuera nieve que cae al mar.

Durante aquel mes de diciembre acaricié más que nunca a mi hija. Stephen trabajaba con las máquinas y daba clases en el colegio mayor, y cuando coincidíamos en la cocina o en el pasillo se alejaba de mí, autoprotegiéndose. Ahora creo que supo antes que yo que iba a abandonarlo, lo intuyó en los silencios, en nuestro inevitable distanciamiento, aunque se lo negara a sí mismo, aunque no pudiera ni imaginarlo siquiera.

De vez en cuando hablábamos y teníamos mucho cuidado el uno con el otro, no queríamos perturbar ahora la paz que cada uno de nosotros había logrado construir por separado.

Una semana antes de las Navidades subí al altillo donde había encontrado tu fotografía para coger guirnaldas y oropeles, luces de colores y una estrella. Los adornos pesaban, las guirnaldas también, y resultó un gran esfuerzo para mí levantar los brazos hasta lo más alto del árbol. Lily me preguntaba a menudo qué era lo que estaba mirando y yo le respondía que no estaba mirando nada, que únicamente estaba pensando. Estaba haciendo mentalmente una ecuación: ¿una hora haciendo X es igual a treinta y un años haciendo Y?

El día de Navidad por la mañana, mi marido se levantó muy temprano. Yo aguardé hasta que mi habitación fue invadida por el aroma de la pasta frita y del café, y bajé a reunirme con él. Llevaba una camisa de franela de color ocre y me pregunté: ¿llevas tú una camisa parecida, una que yo no he visto nunca y que seguramente nunca veré? ¿Estás con tu mujer, con tus hijos? ¿Abrazas a tu mujer cuando duermes? ¿Se meten vuestros hijos en la cama con vosotros la mañana de Navidad formando un emparedado de cuerpos, como Stephen y yo hacíamos a veces con Lily y con Brian cuando estaba con nosotros?

Era imposible, naturalmente, olvidarse de Brian o

dejar de pensar que tendría que estar allí con nosotros. La Navidad era lo peor, aunque no sé por qué digo esto. Cada día es lo peor; el dolor no se amortigua con el tiempo, no se apaga, el vacío no se llena. Había muerto en el coche de un amigo de regreso a casa después de un partido de fútbol en el colegio. Murió cuando el coche en el que viajaba fue embestido por un Corvette azul metálico que se había saltado la luz roja. Unos segundos antes del cruce, Brian, por razones que nunca sabremos, se había desabrochado el cinturón de seguridad. Durante los días, las semanas, los meses que siguieron, repetí la escena en mi cabeza queriendo detener el tiempo para poder introducirme en aquel coche, llegar hasta el asiento de atrás y abrochar el cinturón de seguridad a mi hijo.

Stephen acabó de freír las rosquillas. Vestido con su camisa de franela hizo lo posible para aparentar un humor festivo. Llegó Lily con una sonrisa de oreja a oreja. Stephen, con un sofisticado ademán, dejó caer la cortina y Lily se precipitó hacia el árbol.

Nosotros comimos las rosquillas mientras Lily cogía su calcetín y abría sus regalos. Stephen y yo hicimos mucha comedia haciendo ver que estábamos muy contentos. Abrí el paquete que contenía el libro con las cubiertas de cuero. Era precioso y así lo expresé. Yo le había regalado a Stephen un caballete y unas bonitas pinturas al óleo, y en seguida me di cuenta de la confusión que había detrás de su sonrisa: ¿cómo podía reemprender aquella afición sintiéndose tan desgraciado?

Estábamos sentados en el salón rodeados de papeles de colores y con muchos juguetes a nuestros pies.

Stephen había encendido la chimenea y había hecho más café. Yo pensaba que en cada casa a lo largo de la calle, en todas las casas pintadas de colores pastel había niños y papeles de colores por el suelo y hombres y mujeres que quizá se querían o quizá no se querían, que a lo mejor mantenían o no vínculos imborrables e íntimos. Y fue entonces cuando recordé que tenía otro regalo para Lily, uno que había escondido. Se trataba de un jersey, un jersey de color rosa que podría llevar durante todo el invierno.

Me eché a reír.

—He olvidado un regalo —dije.

Stephen respondió:

—Cada año haces lo mismo.

—Los escondo tan bien que a veces me olvido de ellos. Ahora lo iré a buscar.

Stephen estaba de pie.

—No, ya voy yo que estoy levantado.

Lo miré al contraluz de la ventana. El resplandor de la nieve de fuera convertía su figura en una oscura silueta.

—De acuerdo —le dije—. Está en mi cómoda. En el tercer cajón.

Me recosté sobre el sillón, bebí un sorbo de café. Lily tenía sobre su regazo un joyero con un compartimento secreto que la intrigaba. Las brasas del carbón de la chimenea llenaban la habitación de calor.

De pronto me enderecé y el café se derramó por mi bata. Estaba petrificada, no podía hablar, no podía moverme. Lily me dijo: mamá, has tirado todo el café.

Aguardé un minuto o posiblemente una hora. Oí

los pasos de Stephen en la cocina, levanté la vista hacia donde se encontraba, en el dintel de la puerta.

En su rostro estaba todo escrito; aquella mezcla peculiar de confusión y horror que acompaña la confirmación de un temor.

Sus manos sostenían tu camisa.

El viento del noreste recorre velozmente High Street, la lluvia helada que huele a mar aguijonea su mejilla. Charles observa cómo una larga tira de luces de Navidad serpentea por encima del tráfico soltando una de sus guirnaldas, que rebota contra el pavimento para acabar rodando por la acera como la salvia por las praderas. Los últimos clientes, con sus rostros enrojecidos por el frío, caminan encorvados contra el viento. Desde su lugar privilegiado, el último escalón de la fachada del banco, Charles mira hacia el puerto por encima de la hilera de tiendas. A pesar de la protección que le brinda el puerto, el agua está agitada. A menos de sesenta metros de la orilla, un cielo parduzco se une a un mar embarrado ocultando el faro que se encuentra en la punta. Tiene la esperanza de que todos los arrastradores hayan regresado a puerto; no hay nada peor que un barco con retraso o perdido en estas fechas de Navidad. Recuerda dos o tres sustos que tuvieron lugar en el pasado, cuando las noticias corrieron junto con las felicitaciones de Navidad, hasta que no hubo nadie que pasara frente a una ventana sin mirar hacia el mar y sin murmurar una plegaria, como si no pudiesen empezar las celebraciones sin que todas las barcas estuvieran en puerto, contabilizadas.

La tormenta va a perjudicar a los tenderos, piensa, los pequeños negocios están luchando para sobrevivir a la peor época navideña que se recuerda. McNamara, con su almacén de madera al final de High Street, ya se ha declarado en bancarrota. Y Janet Costa le ha dicho a Harriet que no sobrevirirá al mes de febrero. El declive es contagioso. El fracaso de cada negocio presagia otros fracasos futuros. Charles se pregunta si esta calle parecerá pronto la calle de una ciudad fantasma con hileras de tiendas cerradas.

Desciende un escalón, levanta el cuello de su abrigo para cubrirse las orejas. Sabe que tendría que regresar a casa para ayudar a Harriet con el árbol; pero, si va ahora, está seguro de que ella descubrirá en la cara el fracaso de ellos, su fracaso. Siente que la rabia lo invade, pero extrañamente ahora siente también una especie de alivio. Las cosas no pueden empeorar mucho más y esto lo reconforta un poco. La lucha por salvar su casa ha terminado.

Echa una mirada a la cafetería de enfrente. Podría ir allí a pedir un bocadillo y felicitar las Navidades a algunos clientes. Pero esto no es lo que quiere, esto no le quitará ese sentimiento de rabia. Mira calle abajo en dirección al Blue Schooner: tomar una caña y un buen bol de sopa de pescado caliente, y felicitar las Navidades a otro tipo de clientes. El viento ruge escaleras arriba, le agita el abrigo. Con una tormenta así, sabe que no hay nada que lo proteja a uno del frío. Siente la crudeza del aire dentro de las mangas y junto a su tórax.

Baja deprisa la escalera del banco, arrebujado en su abrigo. Una vez en la acera se gira para mirar el imponente edificio. Las anchas columnas blancas sirven de soporte a un ancho pórtico de piedra. Una guirnalda exageradamente grande, decorada con pequeños puntos de luz y lazadas doradas, cuelga sobre las grandes puertas de madera como si prometiera el acceso a la riqueza, al buen gusto y al poder, cuando en realidad todo lo que el banco ha hecho es chupar el dinero del pueblo hasta dejarlo seco. Charles quiere dedicar al banco un gesto grosero con el dedo, pero reprime ese impulso de adolescente.

Odia el banco, el Banco, la institución, no a la gente que trabaja en él. Odia la institución que ha succionado millones de dólares a la comunidad con las ofertas de acciones que se han ido todas al traste, la que ha prestado tantos millones y ahora lo ha perdido todo. Ni siquiera puede contar la cantidad de gente del pueblo que en los últimos meses ha perdido su jubilación, su plan de ahorro y todo lo que poseía. Ahora el banco no tiene dinero para prestar, para ayudar a gente como Medeiros a mantenerse literalmente a flote.

La entrevista había sido corta, sorprendentemente corta y claramente inútil. Whalen lo había citado deliberadamente el día veinticuatro y Charles sabía que aquello era el castigo por haber contrariado al banquero en el partido de voleibol. Ahora se arrepentía de haber actuado así en aquel encuentro; sabía que Whalen no era culpable del fracaso económico y, cuando Charles llegó al banco con veinte minutos de retraso a su cita de las once (veinte deliberados minutos que esperó sentado en el Cadillac en el aparcamiento del banco; todos sabían ser niños cuando se lo proponían), era eso lo que quería decirle al banquero. Charles observó la cara sudada y roja, el extraordinario brillo de la calva de la coronilla y simplemente dijo:

—Whalen.

Whalen bajó la mirada hacia los papeles que se encontraban sobre su mesa de despacho y los revolvió.

—Llevas un retraso de cuatro meses en el pago de tu hipoteca, Callahan —dijo—. ¿Qué piensas hacer?

Charles supo inmediatamente que no debía haber acudido a la cita. ¿Qué sentido tenía hablar con Whalen? Si el banco lo iba a privar del derecho de redimir una hipoteca, pues que lo hiciera. El proceso era inevitable.

—Sabes que no puedo ponerme al día —respondió.

Whalen se quedó mirando a Charles. Las gafas de leer aumentaban el tamaño de sus pupilas. Charles las comparó distraídamente a las agujas de cambio de las vías del tren y sintió verdadera lástima por aquel hombre.

—En este momento, los inspectores de hacienda están mirando por encima del hombro —dijo Whalen— y nos están obligando a que acabemos con todos los préstamos con problemas.

Charles sintió que el calor invadía su cara. Sabía que lo mejor era encogerse de hombros y marcharse. Eso era lo que haría cualquier hombre sensato. O a lo mejor debería pedir, implorar, alegando que eran las fiestas de Navidad, o mentir, decirle que tendría el dinero a primeros de año. Pero, ¿para qué mentir si, en este caso, no habría ningún dinero ni en enero ni en febrero?

—Sé que no es culpa tuya —dijo Charles—. Sé que

sólo estás cumpliendo con tus obligaciones. Si quieres que te diga la verdad, me das más pena tú que yo.

Whalen tenía mala cara, incluso bajo el resplandor de una luz incandescente y al amparo de una cálida madera. Charles sabía que cuando los de hacienda acabaran con los asuntos de Whalen él también se encontraría en la calle y a lo peor, incluso, camino de la cárcel.

Charles abandona el banco, pasa frente a la cafetería y se encamina hacia el Blue Schooner. Un Papá Noel del Ejército de Salvación se encuentra delante de los almacenes Woolworth. Charles echa unas monedas en el bote. Pasa una camioneta. En la rejilla lleva enganchada una guirnalda. Charles medita sobre el grado de espíritu festivo que ha de tener un hombre para colocar una guirnalda de Navidad en su coche y decide que seguramente debe de ser cosa de niños. A mitad de camino del Blue Schooner tropieza con un par de cabinas telefónicas que se encuentran en la misma acera. Ahora ya no puede pasar por delante de una cabina sin detenerse, sin considerar las posibilidades que le ofrece. Generalmente, nunca la llama desde un sitio tan público como el centro del pueblo, pero hoy todo el mundo va tan envuelto en ropa de abrigo para protegerse de la tormenta que está seguro de que nadie se fijará en él. Y sin embargo, a pesar de todo, piensa que es demasiado arriesgado. Acordaron de momento no llamarse ni durante el día de Nochebuena ni el día de Navidad, pues lo más seguro era que ninguno de los dos estuviera solo en casa. Se para junto a la cabina, mira el negro auricular. Quiere contarle lo que ha pasado con Whalen, que ha perdido su casa. Quiere decirle que piensa en ella a cada minuto; incluso cuando está haciendo tratos con el banco, ella está siempre presente, inmersa en sus pensamientos. Intenta imaginarla en su cocina haciendo pirogis con su suegra. Descuelga el auricular, lo vuelve a dejar. Se apoya en la repisa. ¿Qué pasaría? Incluso si la suegra o Lily están allí, ella podría hablarle aunque fuera durante un minuto, el tiempo suficiente para que pudiera oír su voz y decirle que tiene los pies preciosos. Quiere oírla reír. Vuelve a coger el aparato, marca aquel número tan familiar. El teléfono suena dos, tres, cuatro veces. Se pregunta distraídamente dónde puede estar. ¿En la tienda? ¿Afuera en el coche, con su hija? ¿Llueve también allí, o nieva?

El teléfono deja de sonar. Ahora la voz de un hombre responde «diga». Parece falto de respiración, como si hubiese entrado en la casa corriendo. El hombre vuelve a decir «diga»; Charles se ha quedado paralizado, sin poder hablar, incapaz de colgar el auricular. Una vez más, el hombre que hay al otro extremo del cable dice «diga», esta vez con exasperación. La voz es profunda, el «diga» retumba. El hombre no parece estar contento, no es simpático, ¿o es que quizá Charles está desvariando de nuevo, sacando conclusiones de una simple contestación? Charles cuelga el teléfono y sale de la cabina como si un perro lo hubiese ladrado, le hubiese mordido. Se había formado una imagen del marido; sabía hasta cierto punto que aquel hombre tenía que existir y, sin embargo, la imagen era una imagen sin cuerpo, una imagen que cuando quería la borraba de sus pensamientos. Pero ahora no podía hacer desaparecer la resonancia de aquella voz al otro extremo del hilo telefónico. El hombre existe, está de pie en su cocina. ¿Dónde está ella?

Abatido y frustrado entra en el Blue Schooner. El bar está lleno de hombres que han salido temprano del trabajo, que ya han llegado del mar o que simplemente se escapan del aburrimiento de quedarse en casa en un día sin programación alguna. Charles se abre camino a través del calor pegajoso de la gente y se encuentra con Medeiros, que está sentado en un taburete al final de la barra. Charles duda, dice «hola».

—Callahan.

—Joe.

—¿Te invito a una cerveza?

—Gracias.

Medeiros está sudando bajo su gorra de lana. A pesar de la poca luz, ve sus ojos legañosos. Medeiros se irá a casa a comer una comida portuguesa con su clan: calamares y pulpo; cada familia tiene sus ritos. Charles se apoya en la barra, se desabrocha el abrigo y lo sacude. Se afloja el nudo de la corbata. La cerveza está fuerte y muy fría, muy reconfortante. Le devuelve la invitación a Medeiros y pide un whisky para él.

—¿Qué te pasa, Callahan? Tienes muy mal aspecto. ¿Has adelgazado o qué?

—Algo por el estilo.

—¿Los niños están bien?

—Los niños están muy bien.

—¿Tu mujer?

Charles inicia una sonrisa.

—La mujer está bien —dice.

—Pues, ¿que es lo que te pasa? ¿Estás sin un duro?

—Eso, estoy sin un duro.

Medeiros da un largo trago al whisky, mira a Charles.

—Sí, ¿y qué más? Todos estamos sin un duro, pero hay algo más. Tu estás metido en un lío.

Charles mira hacia el techo, luego el vaho de su vaso; se acaba la cerveza; hace una señal al camarero pidiendo otra.

—Sí, Joe, se podría decir que estoy metido en un lío.

—Lo sabía, sabía que tenías problemas. Le he comentado a Antone que estabas metido en un lío. Te lo he visto en la cara. ¿Algún asunto con el gobierno? ¿Con hacienda? ¿Por culpa de aquella operación que salió mal? ¿Por qué?

Charles se apoya en el codo y mirando fijamente a Medeiros dice:

—Estoy enamorado.

Joe Medeiros se queda perplejo, estupefacto con las palabras de Charles, como si en mucho tiempo no hubiera oído decir algo parecido a un hombre; no puede asimilarlas del todo. El dragador parece avergonzado; bebe un sorbo de whisky, pensativo. Sacude la cabeza como para salir de las profundidades.

—No me imaginaba que tú fueras de esos, Charlie. No te imaginaba corriendo detrás de unas faldas.

—No se trata de correr detrás de unas faldas.

—¿Quién es ella?

—Nadie que tú conozcas.

—¿Dónde está?

—En Pennsylvania, con su marido y su hija.

—¡Ostras, mierda!

—Sí, mierda.

—¿Lo sabe tu mujer?

—¿Harriet? No.

—¿Se lo vas a decir?

—No lo sé, Joe. No estoy seguro de lo que voy a hacer.

Medeiros mira hacia los ruidosos clientes como si estuviera considerando las distintas opciones de Charles. Desconcertado por la carencia de argumentos válidos, se vuelve hacia Charles.

—Bueno —dice Medeiros escogiendo una trivialidad por respuesta—, tienes que hacer lo que te dicte el corazón.

Medeiros suspira profundamente reconociendo que incluso esa solución es complicada. ¿Qué pasaría si el corazón quisiera a la amante pero también deseara no hacer daño a la mujer y a los niños?

—Eso creo —dice con poca convicción.

—Sí, yo también lo creo —responde Charles.

Medeiros mira a Charles, se desliza del taburete no queriendo encontrarse involucrado en un problema tan espinoso y menos en Navidades.

—Tengo que hablar con Tony, que está allí, preguntarle si han llegado sus barcas —dice Medeiros. Pone la mano sobre el hombro de Charles.

—No te des por vencido. Aguanta —le dice.

—Gracias, Joe. Felices Navidades.

Charles se sienta en el taburete de Joe y pide un bol de sopa de pescado. La sopa está muy buena, no hay nada mejor que una sopa de pescado de exquisito caldo de Rhode Island. Pide otra caña y escucha la resonancia de la habitación. El bar está mal ventilado, tiene demasiada calefacción, está impregnado del olor a lana mojada de los gorros y los tabardos de los pescadores.

Hay una docena de clientes entre los de las mesas y los de la barra. Las Navidades pasadas y las anteriores, Charles aprovechaba esa ocasión para repartir sus buenos deseos y reavivar el contacto con los clientes menos usuales. Pero hoy sabe que no es capaz de llevar a cabo esa tarea. Está desorientado, se siente aislado de los hombres, alejado de un mundo en el que imperan los criterios y las palabras normales. Las voces parecen excesivamente chillonas, no están sincronizadas con las bocas que emiten las palabras como si el sonido saliera de ellas con una fracción de segundo de retraso. Charles sacude la cabeza para despejarse. Éste no es su sitio. Tiene que salir de allí, pero tampoco puede ir a casa, todavía no.

Charles cruza la calle, se dirige hacia el coche. Por dentro está húmedo, por lo que ha sudado en el bar, y por fuera mojado a causa del mal tiempo. Se inclina cara al viento y observa cómo los coches salpican la calle. El tráfico ya está disminuyendo. Todo el mundo sale pronto del trabajo, cierra las tiendas, se marcha a casa. Recuerda que tenía que llevarle algo a Harriet; pero, ¿qué? Intenta concentrarse: ¿leche?, ¿huevos?, ¿tocino?, ¿servilletas de papel?

Llega al estacionamiento del banco, pone la llave en la cerradura del coche, mira por encima del Cadillac y ve la parte de atrás de la iglesia Santa María, la iglesia católica del pueblo. Retira la llave de la cerradura, atraviesa el aparcamiento y se interna en el húmedo y musgoso cementerio. Entra en la iglesia por la puerta lateral. No ha estado en una iglesia desde hace un año, desde el funeral de Fahey. El interior está muy oscuro, alumbrado sólo por unos faroles eléctricos colgados en lo alto. Unas velas votivas parpadean burbujeantes en los vasos rojos. Se adentra unos veinte pasos y mira el altar, que hoy está adornado con poinsetias. Nunca le han gustado las poinsetias, incluso su color le parece venenoso. Observa detenidamente la cruz que cuelga sobre el altar, una crucifixión particularmente grotesca: la piel de Cristo extraordinariamente blanca con sangre color magenta manando de las heridas de los pies y de las manos. ¿Por qué hacerle eso a los niños?, se pregunta una vez más. Se dirige hacia el primer banco, se sienta con las manos cerradas descansando suavemente sobre su regazo. Examina otro crucifijo que hay en el altar, una cruz más simple sin Cristo. Se concentra mirando la cruz, intenta formular una oración, pero las viejas palabras no acuden y tampoco es capaz de inventar frase alguna. Quiere pedir ayuda y arrodillarse como si con estos simples actos pudiera ser perdonado, no tanto por lo que ha hecho sino por lo que va a hacer. Su deseo de perdón parece enorme, un gran e indefinido anhelo, pero sabe que su petición es inútil. Nunca dejará a Siân; por lo tanto, de acuerdo con las reglas del juego, pedir perdón no tiene sentido. Y de todas formas, hace ya demasiado tiempo que ha dejado de tener una idea clara de qué o a quién debe pedir perdón.

Un escalofrío recorre su cuerpo. Se pone en pie para marcharse, observa otra vez las velas votivas y ahora recuerda lo que tenía que llevarle a Harriet: bombillas. Se precipita hacia el coche. Ha estado fuera de casa durante demasiado tiempo. Tiene que regresar, estar con los niños y... ¡Dios!, se había olvidado: ¡los patos! Tiene que ponerlos en adobo.

Al aparcar frente a su casa ve detrás de las ventanas

del salón las centelleantes luces del árbol de Navidad. Por lo menos Harriet ha terminado ya de poner las luces, piensa, mientras baja del coche atormentado por un sentimiento de culpa. Al entrar en la cocina, sus hijos y el perro corren a saludarlo. El amor de sus hijos es físico: trepan por sus piernas, se cuelgan de sus brazos; hasta Hadley se acurruca bajo su hombro y los tres rompen a gritar diciéndole que está mojado y que su abrigo huele a humedad. Mientras se quita el abrigo deja con cuidado a los niños uno por uno en el suelo. Desliza la corbata por su cabeza, se arremanga la camisa y se pone en cuclillas para acariciar, afectuoso, la cabeza de Winston.

Los niños lo arrastran hacia el salón para que admire el árbol. Harriet está subida a una silla intentando enderezar la estrella que está escorada. Viste tejanos y un jersey de color verde oscuro. Él observa sus anchas espaldas, la forma de su cadera debajo del jersey, cómo los tejanos le ciñen la entrepierna. Pero al mirarla, no siente nada, ni siquiera recuerda cómo es su cuerpo oculto ahora por la ropa. A veces no puede ni recordar cómo era el amor con Harriet, lo que hacían juntos, como si el tiempo que lleva con Siân hubiera borrado de alguna manera esa faceta de su vida. Ve cómo el jersey de su mujer descubre una parte de su espalda, cuando ella alza de nuevo el brazo para alcanzar la punta del árbol. Observa el pedazo de carne rosa que ahora queda al desnudo sobre la cintura. Es para él una piel desconocida, una piel que nunca ha tocado.

—Déjamelo hacer a mí —dice detrás de ella.

—¡Oh! —exclama Harriet sofocada por el esfuerzo—, gracias.

—He traído las bombillas —dice él.

—¿Cómo ha ido tu entrevista? —le pregunta Harriet.

—Bien —responde—. Ha ido bien.

Todavía no le ha dicho nada referente al banco. A la hora del desayuno sólo ha anunciado que tenía una cita, esa omnipresente y genérica «cita».

—Has estado fuera mucho rato —dice ella mirando al reloj—; me preocupaba que no llegaras a tiempo para preparar los patos.

—He tenido que invitar a unas cuantas rondas. Ya sabes cómo son esas cosas en Navidades.

Charles sujeta la estrella con un pedazo de alambre. Todavía sufre una desviación de unos cinco grados. Pero ya está bien así.

—¿Cómo se han portado los niños? —pregunta, bajando del taburete y quedándose frente a ella.

Harriet lo mira fijamente durante unos segundos, se lleva la mano al pecho y con un dedo acaricia la tela de la blusa cercana a su pezón izquierdo. Lo hace distraídamente, como si estuviera enfrascada en sus pensamientos. Aquella expresión de vacío de sus ojos con la vista fija en el botón superior de la camisa no era normal en ella.

—Harriet.

Ella lo mira ahora como si la hubiese arrancado de su ensoñación. Sus ojos, grandes y de un color azul violeta oscuro, son la parte más bonita de su rostro. A veces piensa que es guapa; *es* guapa, pero no es una belleza. Intenta recordar si alguna vez le ha dicho que la encuentra guapa. A lo mejor se lo dijo al inicio de su relación. Seguro que se lo dijo entonces. Confía en habérselo dicho.

—Jack está imposible —dice lentamente apartando el dedo de su pecho—. Hadley me ha estado ayudando a decorar el árbol. Cuando tú hayas acabado con los patos y el paté, ella quiere hacer galletas.

Vuelve a abrir la boca, luego la cierra. Parece como si quisiera decir algo más, algo que le cuesta expresar y él sabe que, si lo hace, tendrá a su vez que dar explicaciones. Quisiera decirle que lo siente, que lo que haya pasado o haya dejado de pasar entre ellos no es culpa suya, que no es porque no sea guapa o porque él no quiera amarla. O que, por fin, alguien lo ha conocido de verdad, como su mujer nunca supo hacerlo. Pone la mano sobre la manga de su jersey y le acaricia el brazo entre el codo y el hombro.

Ella se aparta, gira la cara hacia un lado.

—Vigila a Anna —dice—; tengo que envolver uno o dos paquetes más.

—Harriet.

—¿Sí?

Ella lo mira, esta vez con cautela; la mirada vacía se ha desvanecido. Con los ojos semicerrados, parece casi irritada, impaciente por salir de la habitación.

—Mis padres estarán aquí a las cuatro.

El Mesías de Händel suena a todo volumen en los altavoces de la cocina. Lo ha escuchado tantas veces que casi se sabe la letra de memoria. Lo que más le gusta es cantar el Aleluya con el coro, y así lo hace mientras coloca los ingredientes del adobo en las bolsas que van a ir al horno: la salsa de *teriyaki*, el gengibre fresco, la salsa de soja, el ajo, la cebolla, el jerez y un chorro de vino tinto. Ha troceado las pechugas, las patas y los muslos de seis patos; las osamentas amoratadas yacen alineadas sobre la repisa de formica amarilla de la cocina. Winston se encuentra a sus pies con el morro levantado, atento a cualquier bocado de cardenal que pudiera caer deliberadamente junto a él. En algún momento, entre el segundo o tercer pato, se ha hecho un corte en un dedo y ha detenido la hemorragia con una toalla de la cocina, que ahora lleva enrollada de cualquier manera en la mano. Hadley, reclinada sobre la repisa de la cocina, observa a su padre detenidamente. Él le echa una ojeada y repara en la mirada penetrante de aquellos grandes ojos pardos. Parece estar preocupada.

—Papá —dice.

—¿Qué?

—¿Estás bien?

Él sigue metiendo los pedazos de pato en la bolsa, que luego deposita junto a las otras en un gran recipiente que se halla sobre la repisa.

En esos momentos está muy excitado. Sobre la mesa central de la cocina hay cuatro libros de recetas abiertos. Su menú no estuvo bien organizado hasta el «Oh, vos, que dijisteis» y «Somos todos tu rebaño», y ya ha tenido que ir dos veces al pueblo para comprar más ingredientes para la comida: una a la pescadería y otra a la charcutería italiana, agotando de paso su cuenta corriente. Es consciente de que su menú es un tanto ecléctico y que posiblemente no tenga todos los componentes necesarios, pero siempre le ha gustado cocinar los guisos por separado sin la intención de formar una perfecta unidad, y cree que de alguna manera ese proceso espontáneo y singular puede aplicarse a su vida y también a su ruina económica. Sobre la repisa, además de las cinco osamentas, hay ahora dos filetes de bacalao salado, cinco libras de mejillones (no había previsto comer mejillones, pero al verlos en la pescadería no ha podido resistir la tentación de comprarlos). Los servirá con una salsa de tomate, albahaca, alcaparras y vino blanco, con una loncha de salmón marinado que rebozará con sal, azúcar y eneldo, dentro de un envoltorio de plástico para que se cueza solo (el resultado será un *gravlax* para el aperitivo), y una mezcla de vieiras, gambas y salmón ahumado que preparará con pasta de tinta de calamares y unas rodajas de pimiento morrón para acompañar el pato. En un enorme mortero de madera de teca, machaca varios dientes de ajo, luego mezcla la pasta de las anchoas y la salsa Worcestershire, el zumo de un limón, la mostaza, las alcaparras y la salsa picante. Con una cucharilla prueba la mezcla que ha conseguido y hace un extraño gesto de aprobación dirigido a Hadley, besándose los dedos y haciendo una mueca con los labios. «El César se relamería a gusto con esto», le dice a su hija. La repisa está rebosante de filetes, de azúcar derramado, de albahaca picada, de botellas de salsa vacías, de tapones de botella, de cucharas sucias y de harina de la masa del pan. Vierte la masa del pan en un molde intentando camuflar en la pasta las inoportunas gotas de sangre que manan de la húmeda toalla de cocina que envuelve su mano. Jack entra en la cocina y contempla la mezcolanza que hay sobre la repisa.

—Uh, puf, papá, ¿qué haces? —inquiere Jack.

—No preguntes —responde Hadley.

En ese momento Charles se siente casi feliz o por lo menos en el estado más próximo a la felicidad que ha conseguido en esa casa, en ese pueblo. Está seguro de que si sigue actuando como hasta ahora, la cena será un éxito. Tiene que componer una coreografía con los cazos, dirigir una obra de teatro entre los fogones de la cocina económica y el horno, para que los patos no entren en conflicto con la masa del pan y para que el cazo más grande esté vacío para cocinar los mejillones después de haber hecho la pasta. La planificación del tiempo no le preocupa demasiado. A pesar de que su distribución del tiempo, en cuanto al amor y a la economía se refiere, ha sido desastroso, cuando se trata de cocinar se puede decir que está dotado de un extraño sexto sentido. El cocinar tiene algo de orquestal, piensa. Se parece un poco a una sinfonía o por lo menos a un concierto. Los movimientos son «allegro» o «largo», dependiendo del «tempo» de sus giros y revueltas para ir de la mesa a la nevera, de los fogones a la repisa, mientras manipula la mantequilla de la salsa rubia o el ajo de un adobo. Ahora está escuchando a Bing. No se puede guisar una cena de Navidad sin escuchar a Bing, le dice a Anna, su hija menor, que acaba de entrar en la cocina para ver su actuación. Se sirve otro Kendall Jackson, un buen tinto seco que ha abierto porque lo necesitaba para dar el toque final al adobo y, al coger la botella, se da cuenta de que está casi vacía. Su camisa blanca y sus pantalones ostentan manchas de aceite, de harina y de alguna cosa parduzca que bien pudiera ser sangre. En algún lugar de la cocina hay un delantal, pero no ha sabido encontrarlo.

Fuera de la cocina, una ráfaga de viento azota las ventanas sacudiendo los marcos. Da un sorbo al resto del vino y observa a través de la ventana la cortina de agua que cae al otro lado. Se pregunta dónde estará ella, qué estará haciendo en ese preciso momento. Echa una mirada fugaz al teléfono; por un instante piensa en llamarla; luego rechaza aquel deseo. No puede arriesgarse a oír la voz resonante de su marido, a tener que colgarle el teléfono otra vez. Intenta imaginarse cómo es su marido, visualizar el cuerpo que puede acompañar aquella voz. Charles nunca se lo ha preguntado y ella nunca se ha brindado a darle detalles sobre el aspecto físico de su marido. Con la palma de la mano aplasta dentro del bol la hinchada masa de pan y la golpea con brusquedad. La necesita ahora con una desazón que no es física, o que no es por lo menos enteramente física. Su cuerpo está tenso, tirante, de tanto desearla anhelando simplemente su presencia. De pronto se dobla por la cintura hasta que su frente toca la superficie de la mesa. Quisiera inclinarse hasta el suelo. Sin ella tiene una sensación de vacío en las entrañas.

—¿Papá?

Charles levanta la vista rápidamente, recuerda que sus hijos están allí. Hadley lo mira extrañada.

Hace un esfuerzo por enderezarse. Sonríe.

—¡El postre! —exclama.

—¿El postre?

—Tengo que pensar en un postre.

—Yo quiero galletas de Navidad —dice Anna.

Abre el libro de cocina que descansa sobre la mesa. Se queda mirando al techo. Winston, que se le ha acercado, frota el morro contra sus rodillas. Acude a su mente la imagen de una tarta francesa. No, no la de un flan. Piensa en una crema. ¿Tendrá todos los ingredientes necesarios? Podría hacer una crema quemada. Sí, eso es, decide abriendo otra botella de Kendall Jackson. Una crema de gengibre quemada. El gengibre será un perfecto toque festivo para el final de una cena. ¿Qué necesitará?, se pregunta, ¿huevos?, ¿crema? El gengibre fresco ya lo tiene. También necesita azúcar, naturalmente, y un soplete. No se puede fabricar el caramelo en la capa superior sin un soplete. Intenta recordar dónde lo aprendió: en la cocina de un restaurante justo a las afueras de Providence. En los restaurantes preguntaba a veces al camarero cómo se hacía o cómo se preparaba un plato (en ese caso una frágil y delicada crema quemada de melocotón) y había sido invitado a la cocina por el mismísimo cocinero, quien le había hecho una demostración de la técnica del soplete: espolvorear la crema con azúcar y aplicar una llamarada con el soplete. El proceso, con una evidente capacidad de destrucción y probablemente nada ecológico, se repetía hasta que la superficie de la crema se convertía en una fina capa de azúcar quemado, en forma de un perfecto círculo de color marrón.

Sobre la mesa coloca los huevos, la crema de leche, el azúcar y el gengibre; coge un bol limpio y el batidor. Se sube al taburete y rebusca en el estante superior del armario que hay sobre la nevera. Tiene idea de que detrás de las copas de champán hay un juego de recipientes para las natillas, que serán los adecuados para la crema quemada. Los ve, desliza la mano entre las copas de champán y entonces suena su nombre pronunciado por su mujer en un tono de voz que le recuerda al de una profesora que tuvo en séptimo grado.

—Charles.

Se tambalea sobre el taburete durante unos instantes y se gira para mirar de frente a su familia. Allí están, a sus pies, alineados junto a la repisa: Harriet, Hadley, Jack y Anna. El cuadro que representan se caracteriza por una expresión de alarma general. Es consciente de la imagen que da, de la singular personificación del caos que ha creado, tanto dentro de la cocina como fuera de ella. En una mano sostiene una copa de champán, en la otra el recipiente de las natillas, su camisa está empapada bajo las axilas y llena de manchas de las entrañas de pato y de harina; el trapo de cocina sigue envolviendo ineficazmente su mano. Lo están contemplando como si en cualquier momento fuera a dar una explicación sobre su postura. Desde su considerable altura abarca toda la cocina —un sangrante y desagradable desorden, un intento paranoico de huir de la tristeza insostenible de las Navidades.

Mira a sus hijos y a su mujer, a las paredes de la casa que ya no le pertenece.

—«Nadie se salva y nadie está absolutamente perdido» —le dice a su familia allí reunida.

Hacía menos de media hora que se había puesto el sol y por el oeste se veía todavía un halo anaranjado en el horizonte. El aire era seco y la noche ya estaba iluminada por las constelaciones de verano. La acompañó hacia la orilla del agua junto con los demás muchachos, allí donde esa noche se encendería una hoguera, en una pequeña conmemoración del día de la Independencia. En la mano sostenía unos fuegos de artificio. Le entregó uno a ella y lo prendió con las cerillas que llevaba en el bolsillo de la camisa. Los destellos dorados de los fuegos artificiales iluminaron sus rostros. Delante y detrás de ellos había parloteo y risas. Los muchachos caminaban en fila india o en parejas, algunos de ellos llevando sus propios fuegos de artificio. Era emocionante aquel paseo hacia el lago en la oscuridad por un sendero conocido, aunque incierto, que además confería a la atmósfera un aire de libertad y un elemento de peligro.

Los monitores ya habían preparado la hoguera y rondaban por los alrededores dándose aires de importancia. Los muchachos se instalaron de cara al lago formando un semicírculo alrededor de la leña y la paja.

Era la última noche de campamento y la amistad había formado distintos grupos que se acercaban los unos a los otros. Ella se sentó en el suelo junto a él con las rodillas levantadas, sus brazos se tocaron desde el hombro hasta el codo y por un tiempo todo lo que ella pudo experimentar fue la turbación que le producía aquel roce repentino como un escalofrío a lo largo de su piel. Después, él colocó un brazo alrededor de ella y palpó con sus dedos primero la manga de su blusa y después la piel desnuda. Ninguno de los dos se atrevió a dirigirse la palabra o siquiera a mirarse.

Encendieron la paja, que estalló en llamas hacia el cielo y soltando un chorro de chispas que se elevó en forma de arco y murió antes de caer sobre sus cabellos y su piel. Alguien, una figura iluminada por el fuego, entonó unas canciones para que el grupo lo siguiera; eran canciones de campamento y del día de la Independencia. El muchacho cantó junto a ella, su voz era casi la de un hombre, pero ella no pudo cantar. Sentía la presión de su brazo en la espalda y la de su mano sobre su piel. El fuego oscurecía la cruz, borraba el lago.

Cuando se acabaron los cánticos, los monitores sacaron unos palos largos y melcochas. El muchacho vaciló, retiró el brazo y se puso en pie. Ella observó cómo se dirigía hacia los monitores, lo vio coger un palo y una melcocha, ensartar ésta en la punta y acercarla al fuego. Contempló su espalda; su cuerpo era ahora sólo una silueta. Lo vio hablar con otro chico.

Regresó. Se sentó de cara a ella, apartó del fuego la pegajosa melcocha tostada por fuera y se la ofreció. Ella soltó una exclamación y empezó a hablar de forma que, cuando él le acercó el palo con la melcocha en la punta, ésta le rozó los labios y los dientes y le manchó la boca. En medio de la confusión y de las risas que había provocado ese incidente, ella se chupó los dedos después de introducir la melcocha en su boca. Se mordió un dedo y se echó a reír avergonzada, diciendo: ¡Qué malo eres conmigo!

Él se chupó también sus dedos pegajosos. Metió su mano limpia en el bolsillo y sacó un objeto. A causa de la oscuridad, ella no podía ver lo que era. Él lo tuvo por un momento en la mano; luego le cogió el brazo por la muñeca. Le puso el objeto sobre la palma de la mano que cubrió con la suya durante unos instantes. Ella palpó el objeto con los dedos, lo hizo rodar por la palma de la mano. Reconoció los eslabones de una cadena con afilados bordes de metal.

—Es una pulsera —dijo sosteniéndola en la mano y con la respiración entrecortada.

—Quería regalarte algo —añadió muy cerca de ella.

Cuando ella lo miró sólo pudo ver la mitad de su rostro iluminado por el reflejo anaranjado del fuego, una luz que proyectaba sombras en sus ojos y en sus mejillas.

Él le tomó la mano y ella pensó que le iba a coger la pulsera para ponérsela, pero en lugar de eso la ayudó a incorporarse. La condujo por el sendero alejándose de los demás muchachos. A medida que iban caminando, las risas y las conversaciones alrededor de la hoguera se iban apagando. Sobre sus cabezas, los árboles crujían acunados por la brisa de la noche. En la distancia, colina arriba, ella podía distinguir el resplandor de las luces de la casa, de las luces del comedor y de la lámpara de algún dormitorio que había quedado encendida.

Cuando se encontraron a mitad de camino del sendero, el muchacho se desvió del pisoteado sendero para internarse en el bosque. Ella no estaba muy segura de sus intenciones, pero extrañamente no sentía ningún miedo. Lo seguía muy de cerca, rozando a veces su camisa mientras él señalaba la ruta a seguir apartando una rama para que pasara ella o advirtiéndole que en el suelo había una piedra o un tronco. Ella se preguntó por un momento cómo volverían a encontrar el camino, pero en seguida apartó de sí aquella preocupación. Su único pensamiento era que dentro de unas horas sus padres irían a buscarla y la llevarían hacia el norte de Springfield, y que seguramente no volvería a ver nunca más a aquel muchacho.

Se oyó el ulular de una lechuza y ambos se sobresaltaron. Ella soltó una risita nerviosa y alargó la mano hacia él. Él se detuvo y se volvió hacia ella. A la luz de la luna casi no podía verle los ojos. La brillante luz que había alumbrado el sendero estaba ahora amortiguada por la espesura de los árboles. Ella casi no podía verlo; sólo sentía su presencia muy cercana, su respiración entrecortada, el calor que desprendían su pecho y sus brazos.

—Esta noche, las estrellas están increíblemente hermosas —dijo él mirando hacia el cielo—. ¿Sabes leer las constelaciones?

—La Osa Mayor —respondió— y a veces la Osa Menor. Ya no sé más.

—Mmmm, y yo tampoco —replicó acercándose un paso más de forma que su rostro quedara justo sobre el de ella.

Ladeó ligeramente la cabeza y se inclinó para besarla. Ella levantó la barbilla instintivamente. Él la besó en la comisura de los labios; mantuvo sus labios allí. Fue un beso seco y suave como una pluma, tan etéreo que ella no tenía la certeza de haberlo sentido, aunque notaba todavía su aliento junto a su mejilla. Él puso sus manos sobre los brazos de ella. Ella levantó las manos hasta apoyarlas en la espalda de él. Nunca había besado a un muchacho, nunca antes había cogido la mano de un chico hasta conocerlo a él. Cada vez que sus cuerpos se tocaban era algo nuevo y excitante, y ella sabía que él no podía hacerle daño.

Encontró su boca, su boca entera, y poniendo las manos en su cintura, la atrajo hacia él de forma que ella perdió el equilibrio y tuvo que apoyarse en él para no caer. Osciló con el peso de ella y los dos se arrodillaron al mismo tiempo. Él perdió entonces el equilibrio y la arrastró con él al blando suelo del bosque. Echados como si estuvieran en una cama, ambos se dieron cuenta simultáneamente de lo que estaban haciendo. Él apartó la cara para mirarla bajo la tenue luz, para ver si su rostro delataba alguna expresión de alarma, si había ido demasiado lejos. Ella le devolvió la mirada pero no pudo hablar. La besó una vez más, ahora con más decisión, y ella sintió la urgencia de él y su propia torpeza. La besó durante mucho tiempo y se instaló otra vez aquella sensación de palpitación en su vientre. La mano de él recorrió sus costillas. Ella pensó que posiblemente debería apartar esa mano, tal como le habían enseñado. Le acarició un pecho, lo rodeó con la palma de la mano. Aquel roce la dejó sin respiración; la sensación de palpitación se extendió desde su vientre a lo largo de sus muslos como un cálido fluido. Dirigió la mirada hacia el pecho, allí donde el pezón se había puesto duro bajo la blusa de algodón. Ella podía oír la respiración acelerada de él, como la suya propia, un jadeo rítmico junto a su cara y a su oreja. Él besó su mejilla. Ella se desabrochó el botón superior de la blusa, luego el siguiente. Él, apartando la tela expuso su pecho desnudo al frescor de la noche. Rozó su piel con la punta de los dedos cuidadosa y suavemente, como si estuviera acariciando algo muy delicado y muy frágil: un adorno de cristal torneado o la cara de un recién nacido. La volvió a besar en la boca. Ella notaba cómo se iba cambiando de posición, moviendo una pierna para ponerla encima de la suya. Él levantó la cara de nuevo. La miró otra vez a los ojos. Miró su pecho, bajó la cara y tocó su piel con los labios. Ella sintió cómo él se apretaba contra ella. Su pierna estaba entre las de él; la de él entre las de ella. La palpitación dentro de ella se convirtió en una presión, en algo exquisitamente apremiante. Él posó la boca en su pezón, abrió los labios y lo chupó. Con la llegada del placer, ella emitió un apagado gemido, susurró su nombre. Sintió que el deseo le explotaba dentro y se difundía por todo su cuerpo y a lo largo de sus piernas. Notó cómo el cuerpo del muchacho se estremecía contra el suyo, un estremecimiento incontrolable con el pezón todavía prisionero de su boca. Él pronunció su nombre con brusquedad, apretó la cabeza con fuerza contra su garganta.

En su mano apretada todavía guardaba la pulsera.

Se quedaron echados sobre la tierra sin moverse durante mucho tiempo, el suficiente para que la luna se desplazara y los iluminara a través de un claro de las hojas de los árboles. A la luz de la luna, la blanca tela de la blusa aparecía de color azul y ahora podía ver claramente el largo del cuerpo del muchacho, desde su cabeza que descansaba sobre su pecho hasta sus pies. Estando allí oyeron las voces de los demás muchachos que subían por el sendero hacia la casa, jóvenes voces blancas riendo en la oscuridad, a no más de cincuenta pies de donde se encontraban ellos. Entonces ella pensó que ahora tendrían que intentar encontrar el camino de regreso, ya que las voces de los demás les servirían de guía; pero no dijo nada para no perturbar al chico. Cuando al poco rato él la miró, ella se dio cuenta de que sus ojos estaba húmedos, que había estado llorando.

—No pasa nada, Cal, todo va bien —dijo.

Él cubrió su pecho, le abrochó la blusa. Se levantó y se arrodilló junto a ella sobre un trozo de tierra cubierto de piñas. Le abrió la mano, le cogió la pulsera y se la puso en la muñeca. Ella se sentó y deslizó el brazalete a lo largo de su antebrazo.

—Lo que hemos hecho... —dijo él.

Ella acarició la pulsera.

—Estoy bien, Cal. No pasa nada —dijo.

—Yo nunca...

—Ya lo sé —respondió ella.

—¿Entiendes...?

Ella miró la pulsera que se balanceaba en su fina muñeca.

—No estoy segura, pero creo que sí —dijo.

—No me arrepiento —dijo él.

—Sí, ya lo sé —dijo ella—; ¿cómo íbamos a arrepentirnos?

La ayudó a ponerse de pie. Ambos sacudieron las pequeñas virutas de madera y las hojas de su espalda, de sus pantalones cortos. A su regreso se encontrarían con un problema. Tendrían que dar explicaciones de dónde habían estado, pero ahora eso no parecía tener ninguna importancia, no tenía para ellos sentido alguno.

—Diremos que hemos ido a dar un paseo y que hemos perdido la noción del tiempo —dijo él—. No les gustará, pero será mejor que los dos digamos lo mismo.

Ella asintió con la cabeza. Él echó a andar abriéndose paso y apartando las ramas para que ella le siguiera hasta llegar al sendero. Subieron por la colina cogidos de la mano. Sus pasos eran lentos e indolentes. Al llegar a la puerta principal de la casa, la que los conduciría hasta la resplandeciente luz del vestíbulo, hasta las preguntas insistentes de sus monitores, hasta sus habitaciones y sus camas separadas, hicieron una pausa. Él la besó fugazmente en la mejilla por temor a que alguien los estuviera observando.

—No podré decirte adiós —dijo ella.

La lluvia ha cesado, la noche está tranquila. El silencio envuelve la casa por fuera y por dentro y, a excepción del zumbido ocasional de la nevera o del ronroneo de la calefacción, todo está tranquilo. Sostiene en su mano una copa de champán tibio que se ha servido de los restos de una botella que se encontraba sobre la repisa de la cocina. Harriet y los niños están en la cama. No tiene una idea precisa de la hora que es. Se ha quitado el reloj para fregar los cacharros y ahora no sabe dónde lo ha dejado. Cree que deben de ser más de las dos. Sus padres han regresado de la misa de gallo con Hadley, que casi dormida se ha dirigido a su habitación tambaleándose hace aproximadamente una hora. Harriet ya ha rellenado los calcetines con los regalos, ha recogido los papeles de envolver los regalos de los mayores y ha colocado los regalos de los niños debajo del árbol. Como regalo de Navidad, Charles ha ofrecido a su mujer una cámara de vídeo sorprendentemente pequeña, que el vendedor aseguró que no solamente era muy fácil de manejar sino que sacaba unas tomas estupendas de los niños, un proyecto que ahora llena a Charles de tristeza y remordimientos. Harriet ha regalado a Charles dos entradas para la temporada de los Red Sox, partidos a los que desde ese momento ya sabe que no acudirá. En otra vida (*¿qué* otra vida? se pregunta, *ésta* es su vida), las entradas le hubieran encantado, hubiese llevado consigo a Hadley y a Jack; esas entradas hubieran culminado su verano, le hubieran proporcionado algo por lo que esperar ilusionado, una forma de acortar aquellas largas y calurosas semanas. Pero ahora siente únicamente un vago sentimiento de pérdida, como si hubiera extraviado su propia niñez.

(Extrañamente piensa en la historia de O. Henry sobre aquella pareja que se hace regalos que ya no puede emplear, debido a lo que ha tenido que sacrificar para comprarlos. ¿Hubiera utilizado quizá la cámara de vídeo para sacar tomas de los niños en los partidos de los Red Sox? ¿O querrá Harriet filmar a los niños aunque no haya partidos ni otro evento similar?)

Se acaba el champán tibio y deposita la copa sobre la repisa. Hoy ha bebido una gran cantidad de alcohol, y sin embargo no se ha sentido ni embriagado, ni drogado, ni tan siquiera mareado. Es consciente de que ha estado bebiendo para anestesiarse, un esfuerzo inútil y agotador. Cruza el salón y se queda observando la clásica estampa: los calcetines colgando de la chimenea y los regalos artísticamente distribuidos debajo del árbol. Este año sólo Anna cree en el milagro del hombre de las barbas blancas que esta noche en particular visita todas las casas del mundo llevando regalos. De pronto se da cuenta, con remordimiento, de que ni siquiera sabe lo que hay en el interior de aquellos paquetes de envoltorios tan resplandecientes. No ha comprado ni un sólo regalo para ninguno de sus hijos: una costumbre que en el pasado solía gustarle. Dentro de unas horas, los niños se despertarán y exigirán que él y Harriet se reúnan con ellos en el salón para ver qué les ha traído el Papá Noel. Si no se va ahora a la cama, no dormirá nada.

El dormitorio en el que comparte la cama con su esposa está en la parte delantera de la casa. Las ventanas están cubiertas por unas cortinas de gasa blanca que sólo dejan entrar un pálido reflejo de la luz de la farola de la acera de enfrente. La forma oscura de la cama está inmóvil. Está seguro de que ella está dormida. Durante la cena, Harriet ha estado cordial pero poco animada. Él la ha visto preocupada, distraída, posiblemente molesta por la cena, que al final no ha salido redonda. Los niños casi no han comido nada a excepción del pato. Los demás parecían estar desconcertados con el menú, como si les hubieran presentado un rompecabezas del que faltaran algunas piezas clave. Sin embargo, la crema quemada ha sido un éxito y se ha sentido desmesuradamente satisfecho de su remate final, de aquella delicada capa de azúcar quemada de una perfecta translucidez. Se quita el jersey, la camisa limpia que se ha puesto antes de que llegaran los familiares, los zapatos, los calcetines y los pantalones. Vestido sólo con los calzoncillos, se desliza bajo el grueso edredón, con un movimiento delicado y pensado para mover lo menos posible las sábanas, con las maniobras de un ladrón que roba en una casa sin ser detectado o las de un hombre que no quiere tocar a su mujer para que ésta no se sienta incitada. Sin embargo, se da cuenta en seguida de que ella lo ha oído. Cuando retiene la respiración y escucha atentamente, no oye la de su mujer como debiera oírla. Se da la vuelta despacio; así, a lo mejor, con un poco de suerte él se dormirá en seguida, pero no es así. Nota que las sábanas dan tirones y que ella se vuelve hacia él. Una mano se posa en su espalda desplazándose luego hacia su hombro. Él gira un poco la cabeza dejando su cuerpo todavía de espaldas a ella.

—¿Harriet?

Ella le coge suavemente por el hombro pidiéndole que se ponga de cara a ella, una petición a la que él no puede negarse. Él se vuelve con la cabeza encima de la almohada y la mira. El rostro de Harriet tiene una expresión grave y él sabe que la suya debe también parecerle grave a ella. Permanecen mirándose de esta forma durante lo que parecen largos minutos. Ella no habla, pero él sabe que lo hará.

—Harriet, ¿qué sucede?

En la tenue luz artificial, en la que apenas puede vislumbrar la expresión de sus ojos, le dice:

—Quiero que me hagas el amor.

Él abre la boca con la intención de aducir, no sin cierta razón, que son más de las dos de la mañana y que se tienen que levantar de madrugada; quiere decirle que está exhausto después de todo lo que ha cocinado y que procurará que ella goce o quizá le pueda dar un masaje en la espalda. Pero sabe que no puede decir nada porque sólo con la voz se delataría y confesaría que la ha traicionado. En silencio la atrae hacia él y la abraza fuertemente.

—Te he estado esperando —dice ella ahogando sus

palabras contra el pecho de él, y Charles comprende instantáneamente que no se refiere a esa noche únicamente.

—¡Oh, Harriet! —exclama.

Y esta vez ya no hay salvación posible. Empieza a llorar. Se queda inmóvil, sin respirar, para que ella no descubra sus lágrimas; guarda el dolor para sí, en lo más hondo de su pecho, de su garganta; pero ella lo conoce desde hace demasiado tiempo para ignorar el contenido de cada suspiro, de la tensión de su cuerpo. Se aparta de él y lo mira. Ahora parece alarmada, aún más que antes en la cocina.

—Charles, por amor de Dios, ¿qué te pasa?

Él se da media vuelta hasta quedar boca arriba, extiende un brazo, mira hacia el techo. Las lágrimas brotan de sus ojos, corren por sus mejillas. Por el tono de voz de su mujer sabe que ésta no parará hasta obtener una explicación. También sabe que no puede mentirle, ahora no.

—He de decirte algo que te va a sentar muy mal —dice.

Ella se incorpora con brusquedad, se arrodilla sobre la cama frente a él. Charles frunce el entrecejo al darse cuenta de que se ha puesto el camisón de seda negro con el escote de encaje, el que se pone cuando quiere que él le haga el amor.

Acostado como está, no es capaz de decir absolutamente nada. Se sienta, se pone la camisa.

—¿Adónde vas? —le pregunta su mujer inquieta.

—No voy a ninguna parte, me estoy poniendo la camisa. Tengo frío.

—¿Qué es lo que tienes que decirme?

Se abrocha la camisa, se sienta al borde de la cama dándole a medias la espalda.

—Estoy enamorado de otra mujer —confiesa.

Espera que se le caiga el techo encima, que los árboles se estrellen contra los postigos de las ventanas. Ha estado hilvanando esas palabras y no puede siquiera oírse a sí mismo pronunciándolas sin escuchar al mismo tiempo el retumbar de los címbalos, el martilleo de los timbales. Ahora, el silencio, el silencio total de la habitación lo asombra. Por un momento cree, aterrado, que en realidad no ha pronunciado esas palabras, que tendrá que repetirlas en tono más alto.

Oye una inspiración y ve cómo Harriet se lleva la mano a la boca.

—¡Oh, Dios mío! —exclama Harriet.

—Harriet, lo siento. No ha sido mi intención que esto sucediera.

Cierra los ojos avergonzado de su propia voz. Las palabras son ofensivamente banales, en cada sílaba hay una mentira. Claro que tuvo la intención de que esto sucediera. Él *hizo* que sucediera.

—Voy a dejarte —dice con honestidad—. Estoy enamorado y voy a dejarte.

Ahora se atreve a mirarla, a contemplar la expresión de angustia de su rostro. Él también está horrorizado por sus propias palabras, por la sinceridad que hay en ellas, por lo irreversible de su significado. No puede retractarse, no debe retractarse. No desea herir a su mujer, pero tiene que hacerle comprender que este asunto no es de ningún modo una frivolidad.

—¿Qué estás diciendo? ¿Quién es ella?

—No es nadie que tú conozcas. Vive muy lejos de aquí.

—Entonces, ¿cómo la has conocido?

—La conocí hace treinta y un años. Cuando teníamos catorce años, hace treinta y un años, pasamos una semana juntos en un campamento.

—¿Pasasteis una semana juntos hace treinta y un años y dices que la amas? —pregunta Harriet, incrédula—. ¿O la has seguido viendo?

—No, no, no. La acabo de volver a encontrar tan sólo hace unas semanas.

—¿Hace unas semanas? —Observa el tono de perplejidad que hay en la voz de su mujer, sabe que todo eso le debe parecer una tremenda locura—. ¿Te has acostado con ella?

Ésta es, naturalmente, *la* pregunta, la que esperaba, la que temía. Duda. No va a mentir.

—Sí —responde.

Oye un quejido, un pequeño sonido lleno de dolor en la garganta de Harriet.

—¿Cuántas veces? —pregunta ésta con coraje.

—No muchas —responde él—, cuatro veces.

—¿Cuatro veces? —pregunta asombrada—. ¿Has estado con ella cuatro veces? ¿Cuándo? ¿Cuándo estuviste con ella?

—Harriet, ¿tiene alguna importancia?

—Confiaba en ti —dice ahora subiendo la voz. Él no puede pedirle que no grite, que no despierte a los niños. Está en su derecho. Se da cuenta, horrorizado, de que no debía de haber hecho eso ahora, en vísperas de Navidad, estando los niños en casa, cuando están a punto de despertarse para coger, ilusionados, los calcetines y los regalos, y en su lugar, ¿qué es lo que van a encontrar?: una madre desconsolada. Harriet se desliza de la cama, se pone en pie. Tiembla dentro de su camisón. Él también se levanta y alcanza el salto de cama de Harriet, que está colgado detrás de la puerta. Se lo ofrece. Ella lo tira al suelo.

—La quiero —dice él como queriendo dar una explicación—. Siempre la he querido. Fuimos amantes, incluso cuando éramos niños, hace treinta y un años.

—¿Y qué va a ser de mí? Creí que me amabas.

—Y te quiero, pero es diferente.

—¿Qué es diferente?

—Es simplemente diferente. —Es consciente de la ambigüedad de sus palabras y sabe que nunca dirá a su mujer que es diferente porque en verdad a ella nunca la amó, porque está convencido de que Siân y él están hechos para acoplarse el uno con el otro. Ésta es la aseveración más cruel, algo que Harriet nunca ha de saber.

—¿Está casada?

—Sí.

—¿Y tiene hijos?

—Sí. Tiene uno, una niña. Tuvo un niño pero murió cuando tenía nueve años.

—¿Y tú vas a hacer de padre de un hijo de otra? —Esto último ha sido dicho en un tono lleno de amargura, como si esto le doliera más que cualquier otra traición.

Harriet lo golpea con los dos puños cerrados,

como si se tratara de un tenista que da un fuerte revés con la raqueta. Le golpea en las costillas. Él, con los brazos en alto, no la detiene. Ella le vuelve a pegar, una y otra vez. Arremete contra él por cuarta vez, luego se da la vuelta sollozando.

—¿Cómo has podido? —exclama Harriet llorando.

Él no puede responder. El porqué está y no está claro, tan simple como los animales acoplándose o tan complicado como los problemas de física: una enrevesada ecuación de tiempo y distancia.

Harriet se deja caer sobre la cama cubriéndose el rostro con las manos. Él no puede distinguir si llora o no; cree que quizás está todavía demasiado aturdida para derramar lágrimas. Recoge los pantalones del suelo, se los pone, se abrocha el cinturón. Al oír el sonido metálico de la hebilla, Harriet se aparta las manos de la cara y observa cómo él se viste.

—¿Adónde vas? —pregunta desde la cama con voz apagada.

—No lo sé. Esta noche no me puedo quedar aquí.

—Pero los niños... Mañana es Navidad.

La cruel realidad la sigue atormentando mientras hace observar a su marido que mañana será un día especial. Tuerce la cabeza y vuelve a gemir, un sonido lastimero que él nunca había oído antes, ni siquiera cuando estaba dando a luz a Hadley, que fue el peor parto de todos. Harriet se lleva un brazo a la cara para taparse los ojos.

Charles observa a su mujer echada en la cama, el camisón negro sobre la blanca sábana, sus pechos pequeños y planos bajo la puntilla transparente. Supone que ésta será posiblemente la última vez que vea el cuerpo de su mujer. No, piensa otra vez, ésta es positivamente la última vez que ve su cuerpo, un cuerpo que ha amado miles de veces, un cuerpo que gestó, dio a luz y amamantó a sus tres hijos.

—Volveré antes de que los niños se despierten —dice—. Pasaré la noche o lo que queda de la noche en algún sitio, a lo mejor en un motel, y luego volveré para estar con ellos cuando abran sus regalos. Se lo diremos juntos, esta noche o mañana.

Ella sigue echada sobre la cama con la cara cubierta. Charles cree que no va a hablar, que asiente con su silencio al sentirse tan desconcertada como él en este desconocido terreno. Sus labios están tensos, dibujan una fina línea que sólo expresa rabia. Sobre su labio superior surgen arrugas verticales que él no había visto nunca antes.

—Ni se te ocurra volver —dice fríamente—. Aquí no vuelvas nunca más. Si quieres tus cosas manda a alguien a recogerlas o yo las pondré en la calle. Ahora, ésta es mi casa, y tú no tienes que venir nunca más. —Vuelve la cabeza hacia otro lado y se protege el estómago con la mano, un gesto inconsciente que solía hacer cuando estaba encinta.

—Pero... Harriet, la casa...

Al oír estas palabras, se da cuenta de que acaba de cometer un error imperdonable. Ella se da media vuelta rápidamente, preparada para encajar más dolor. Puede verlo en su rostro, en el miedo que reflejan sus ojos. Al mencionar la casa, aborda el único tema que él ha decidido no tocar todavía, por lo menos esa noche. Los pensamientos de Charles saltan, revolotean dentro de su cabeza. Intenta desesperadamente pensar en cómo puede salirse de esa situación.

—¿Qué? —exclama ella, angustiada—. ¿Qué?

—Harriet...

—¿Qué? —grita. Se vuelve, salta de la cama. Se pone frente a él con los brazos cruzados sobre el pecho. ¿Qué? —grita de nuevo, desafiante.

—Harriet, esto me pone enfermo. No puedes figurarte lo mucho que siento...

—¡Por amor de Dios, escúpelo ya! —ruega Harriet—. ¿Hemos perdido la casa, no es eso?

Él rodea la cama y se dirige hacia Harriet con los brazos extendidos para abrazarla. Durante un momento ella se lo permite, se acurruca junto a él.

—¿Cómo has podido...? —pregunta—. ¿Desde cuándo sabes que esto iba a suceder?

—Lo sé desde hace tiempo —dice—, pero esta mañana lo he sabido a ciencia cierta. He estado en el banco.

Ella se sienta bruscamente en la cama, como si se hubiese caído sobre ella.

—Me ocuparé de ti, Harriet. Siempre me ocuparé de ti y de los niños. Y además han de darnos por lo menos seis meses antes de ejecutar la hipoteca. A lo mejor...

—Me voy abajo —le dice Harriet casi en un susurro—. Me voy a sentar abajo hasta que te hayas ido. No tardes mucho porque estoy muy cansada.

Se levanta, camina lentamente hasta el otro lado de la cama, se agacha hasta el suelo, recoge el salto de cama.

Desliza los brazos por las mangas, lo ciñe sobre su pecho, se ata el cinturón escondiendo su cuerpo a los ojos de Charles.

Charles observa cómo Harriet sale de la habitación y cierra la puerta tras de sí.

Permanece inmóvil durante unos minutos en el centro del dormitorio, mirando hacia la puerta cerrada. Aturdido, se da media vuelta y se pone los calcetines y los zapatos. Saca una chaqueta del armario. De los cajones de su cómoda coge unos cuantos pares de calcetines, ropa interior, unas corbatas y unas camisas. No es muy consciente de lo que está reuniendo. Simplemente quiere hacer un montón. Hace resbalar otra chaqueta de un colgador, envuelve el desordenado fardo con la chaqueta, lo ata haciendo un nudo con las mangas de la chaqueta y se lo coloca bajo el brazo. No se vuelve a mirar la cama ni el dormitorio que ha compartido con su mujer durante dieciséis años. Abre la puerta, atento a los posibles ruidos en el pasillo. Pasa delante de las habitaciones donde duermen sus hijos. Sabe que no podrá soportar ver a Jack en su cama. En lugar de ello, entra en la habitación de Hadley. Observa su cabeza apoyada en la almohada, sus cabellos desparramados sobre ella. Tiene los ojos abiertos, unos vigilantes ojos pardos como los suyos.

—¿Dónde vas? —pregunta desde la cama. Él cree adivinar un ligero temblor en su voz. No sabe si ha podido oír algo.

—No me voy muy lejos —dice.

Se aproxima a la cama y se sienta en el borde. Le acaricia el pelo con la mano.

—¿Qué pasa, papá? ¡Pareces tan triste!

Hadley duerme sobre una almohada con un volante blanco de encaje y acuna en sus brazos una vieja y raída jirafa de trapo rosa: una reliquia de su niñez.

No es capaz de decir a su hija que la va a dejar. Siente la garganta inflamada, agarrotada por el dolor.

—No estoy triste —dice a su hija—; será mejor que intentes dormir un poco. La mañana llegará antes de que te des cuenta.

Hadley, obediente, cierra los ojos. Su hija, a diferencia de su mujer, no le preguntará lo que ella todavía no puede asimilar. Su hija borrará de su mente las voces tras la puerta ahora cerrada y por la mañana llegará a creer que fueron producto de un mal sueño.

Besa a su hija en la mejilla.

Baja la escalera llevando su fardo a cuestas, atraviesa la casa silenciosa. Encuentra su abrigo en el colgador y las llaves del coche sobre la repisa de la cocina. A través de la puerta del salón ve a su mujer: una pequeña y acurrucada figura en el sofá. Está mirando las palmas de las manos que descansan abiertas sobre sus rodillas, como si intentara leer en ellas lo que acaba de pasarle y lo que será de ella más adelante.

Charles dice:

—Estaré de vuelta en casa antes de que los niños se hayan levantado.

Ella no reacciona ante esa promesa. Él abre la puerta y sale dejando atrás su hogar y su familia.

¿Y qué explicación hay para tener una camisa sucia que no es de tu marido escondida en el cajón?

Sostenía la camisa en sus manos como prueba irrefutable.

Le respondí, en un susurro, que la había cogido del cesto de la ropa sucia de casa de mi padre la última vez que estuve allí, porque pensaba tejerle un suéter para Navidad.

Stephen hubiera podido decir que la camisa no era de la talla de mi padre.

Y yo hubiera tenido que mentir otra vez.

Pero no lo hizo, ¿para qué?

Recuerdo que se sentó en el mismo lugar en el que se había sentado antes, en su sitio acostumbrado cerca del fuego. Sus ojos miraban hacia dentro, estaban cerrados para mí. Me temblaban las manos. No podía remediarlo. No pensaba de ningún modo que eso pudiera suceder. Pero, si no abrigaba la intención de que esto sucediera, ¿por qué no me había deshecho de la camisa?

También recuerdo que estaba asustada. Era un tipo de miedo que nunca había experimentado: la sensación al estaba a punto de romperse y cortar-

ubir arriba a buscar el regalo de Lily.
ía olvidado de cogerlo.

la tensión que reinaba en el ambiente. Me miró a mí y luego a su padre.

Llegaron los familiares invitados a comer. Con sus amplias sonrisas y su apetito despierto, parecían resplandecientes personajes de unos dibujos animados apareciendo de sopetón en una oscura película, unos personajes fuera de lugar o ajenos a todo. ¿O éramos nosotros los que no encajábamos, los que habíamos perdido nuestro sitio?

Serví la comida que había preparado. Sonreí, dije cosas agradables. Era capaz de hacerlo, tenía que hacerlo por Lily, tenía que contrastar con Stephen, quien casi no podía comer. De vez en cuando lo miraba, y tenía la cara muy blanca, de una palidez de otro mundo. Pensé para mis adentros: ¿cómo he podido hacerle eso a un hombre? y ¿por qué preferirte a ti significaba herir así a Stephen? ¿Cuál era el contrato que Stephen y yo habíamos hecho? ¿Dónde empezaba y dónde terminaba?

Después de la comida, los niños desaparecieron para ir a disfrutar de sus juguetes. Como de costumbre, estábamos invitados a casa del hermano de Stephen para tomar los postres. Acepté precipitadamente, pues quería salir de casa, alejarme del miedo. Había iniciado algo y no sabía cómo se iba a desarrollar. También quería alejarme del teléfono silencioso que colgaba de la pared. Pensé que a lo mejor llamabas, pero tenía aún más miedo de ser yo la que telefoneara primero.

Arrebujé a Lily en su abrigo, me puse la bufanda, luego las botas. Miré a Stephen que no estaba equipado para el frío.

«Vete con los demás», me dijo sin mirarme. «Creo que tengo una incipiente migraña. Me echaré un rato y dentro de una hora iré para allá.»

No me creí lo de la migraña, pero comprendí que necesitaba estar solo. Por un momento pensé que iría en busca de más pruebas, las cartas y el paquete que ahora debía intrigarle. Pensé en quedarme con él, pero su hermano nos estaba esperando junto a la puerta para llevarnos a Lily y a mí a su casa; así, más tarde, Stephen podría acudir en nuestro coche.

Dudé, puse mi mano sobre la manga de la camisa de Stephen. «Descansa», dije. «Si puedes, ven. Cuando vuelva a casa hablaremos.»

Se dio la vuelta, no respondió. Miré fugazmente al hermano de Stephen que lo había oído todo.

El teléfono sonó. Me quedé paralizada. Stephen echó una ojeada al aparato y luego a mí. Me dirigí hacia el teléfono. Al descolgar, mi mano temblaba tanto que tuve miedo de que se me cayera el auricular. Respondí un «diga» vacilante rezando para que no fueras tú. Era mi padre que nos deseaba a todos unas felices Navidades. Me tranquilicé de repente y empecé a llorar. Me volví de espaldas a la cocina para que los demás no pudieran verme.

En casa del hermano de Stephen, todo eran para mí formas borrosas y escenas de películas que yo veía proyectadas en muebles y rostros, extraños miembros distorsionados, cuerpos enroscados alrededor del brazo de una silla que se paseaban silenciosos por la superficie brillante de una tostadora o de una tetera de metal.

Tenía la esperanza de que Stephen estuviera dormido, pero sabía que no era así. Ignoraba si estaba abriendo cajones en su despacho o recorriendo de un lado para otro el dormitorio.

Transcurrió una hora, luego otra. Corrí al teléfono y llamé a mi casa. No hubo respuesta. Volví a sentarme a la mesa.

Fue entonces cuando caí en la cuenta. Empezó a recorrerme un escalofrío desde el vello de mis brazos, pasando por mi espina dorsal, hasta instalarse definitivamente en la nuca.

Me levanté en busca de mi abrigo.

—Quedaos con Lily —dije al hermano de Stephen.

Reduce cauteloso la marcha del Cadillac allí donde se junta el alquitranado con la madera, por si durante la tormenta se ha formado hielo sobre el puente. La noche es silenciosa y oscura, hay poca visibilidad. Todavía no ha salido la luna para dibujar la silueta del puente sobre el agua. A su lado, en el asiento delantero, reposa el paquete de ropa. Ahora se halla literalmente sin hogar, una extraña y a la vez reconfortante sensación que durante su solitario paseo por High Street parecía haberse intensificado. Su vehículo era el único en toda la calle; las ventanas de las casas por las que iba pasando estaban cerradas a cal y canto para él.

Sabe extrañamente dónde está ella en ese momento, lo que debe estar haciendo: seguro que está en la cama echada al lado de su esposo esperando a que se despierte su hija. Sabe que se tortura imaginando a Siân con su marido, como un masoquista hurgando en un flemón, pero tiene la esperanza de que de alguna manera, si insiste en esas imágenes el tiempo suficiente, una y otra vez, llegará finalmente a ser capaz de borrarlas y de ganarles la batalla. De camino hacia el puente, ha pasado junto a media docena de cabinas telefónicas que conoce muy bien; ha aminorado la marcha, pensando por un instante que podía llamarla a pesar de la hora intempestiva, ha de controlarse para no parar el coche. Quiere, necesita oír su voz, conectar con los sonidos ya familiares del otro lado del hilo. Quiere llamarla, quiere decirle lo que ha hecho, decirle simplemente que no está durmiendo con otra persona, que nunca más lo hará.

Aparca en mitad del puente. Sale del coche y camina hacia la barandilla. Bajo sus pies nota la fisura de un tablón astillado. Al cruzar el puente en los días de buen tiempo se puede ver el agua a través de las grietas, un agua verdosa en la que el puente se junta con la playa y también el azul oscuro del profundo canal. Cuando camina por el puente, e incluso cuando lo atraviesa en coche, piensa a menudo en los pilares bajo el agua de la bahía, en la fuerza de la marea azotando aquellas gruesas columnas redondeadas. Se pregunta cómo saben los ingenieros que se ocupan del mantenimiento del puente en qué momento hay que cambiar los pilares y por qué sus anclajes de cemento no parecen desplazarse nunca en la arena haciendo ceder repentinamente la tablazón.

Siente, más que ve, la áspera superficie de la barandilla. Recuerda la primera vez que acarició a Siân en el banco, recuerda cómo acercó los labios a su pezón sin saber lo que estaba haciendo, lo que con ello estaba provocando. Hubiera deseado un retorno a la inocencia. También recuerda la última vez que estuvo en la cama con ella, la última vez que hicieron el amor, cómo ambos se durmieron en un profundo sueño sin paréntesis y cómo al despertar todavía tenía sus dedos dentro de ella y también cómo se dio cuenta de que para que esto sucediera mientras dormían ninguno de los dos tuvo que haberse movido ni siquiera un poco. Se preguntó entonces, y se sigue preguntado ahora, si había o podía haber una reconciliación entre la inocencia y la sexualidad.

Una brisa recorre el puente. Debajo de él se puede oír el chapotear de las olas. No puede ver gran cosa, ni siquiera una señal de que haya tierra allá donde brillan las luces de la bahía. Mira hacia el este, por donde pronto saldrá el sol, y hacia las dunas que se juntan con el malecón al otro lado del puente. En Portugal ha amanecido hace rato y es Navidad. Sabe poco de cómo los portugueses celebran esta fiesta, sólo está seguro de que la conmemoran. En realidad no sabe mucho de Portugal excepto de su cocina o por lo menos de aquellos platos que han llegado hasta ese lado del Atlántico. Se pregunta cuándo podrá ir a Portugal. Ahora no piensa en viajar hasta allí él solo.

Se sube el cuello del abrigo, apoya los codos en la barandilla. Baja la cabeza, cierra los ojos. Sabe que tendría que pedir perdón, que lo que les ha hecho a Harriet y a los niños es censurable, que su mujer seguirá seguramente sentada en el sofá intentando comprender el alcance de esa traición.

Apoya la espalda contra la barandilla. Su abrigo se entreabre. Levanta la cabeza hacia el cielo en busca de una estrella. Quiere revivir la historia de su vida para reclamar lo que una vez le fue arrebatado.

En el cielo encapotado no hay ni una estrella. Se

ciñe el abrigo. Ahora sí que necesita una habitación, aunque sólo sea para unas pocas horas. Se pregunta dónde puede haber un motel abierto en esa época del año; hace una mueca imaginando lo que pensará el portero de noche al ver a un hombre solo reservando una habitación en la noche de Navidad.

Se dirige hacia el coche. Dan tres campanadas en el reloj de la torre de la iglesia.

Recuerda que en su infancia existía una plegaria para los diferentes problemas, para cada conflicto.

La luz reverberaba en la superficie de la nieve, una luz que hacía daño, de la que quisieras protegerte con las manos. Giré demasiado deprisa para entrar en el aparcamiento. El coche patinó sobre el hielo y fue a dar un golpe sordo contra la montaña de nieve que el hermano de Stephen había formado al quitar la nieve de la entrada de la casa antes de que se sirviera la comida. Dejé la puerta del coche abierta, corrí escaleras arriba hasta la cocina. Le llamé una, dos, tres veces y no hubo contestación. Pensé que estaría en el granero, no quería imaginar lo que podía encontrarme allí. Entonces me volví y por la ventana vi que la puerta del granero estaba abierta.

Salí de la casa y me dirigí corriendo al granero. Era un edificio viejo con las paredes de madera y, a veces, en invierno si el aire era seco, los tablones se contraían separándose los unos de los otros abriendo unas fisuras por las que se colaban el aire y la luz. Al llegar a la entrada dudé, miré a través de la ranura de la pared. Vi la camisa de franela color ocre, era como una mancha oscura.

Corrí hacia Stephen. Estaba sentado en una vieja silla de madera que años atrás pensaba restaurar, por lo cual se encontraba en el granero en donde había permanecido durante todo este tiempo. A sus pies había una escopeta. En el hombro tenía una herida. Se sujetaba el brazo inerte sobre el regazo. Una de las mangas estaba empapada de sangre ya oxidada.

Estaba casi inconsciente. Su mano era ya de color gris bajo aquella mancha de herrumbre.

Stephen, dije.

Me miró, ladeó la cabeza. La imagen del dolor se reflejaba en su rostro.

Le toqué la mano.

«Lo siento mucho», le dije.

Vi como los enfermeros envolvían a mi marido entre edredones, lo ataban a una camilla y lo sacaban a la brillante luz del patio. Más tarde, el cirujano que le suturó la herida dijo que perdería la movilidad del brazo. Me pregunté cómo había sucedido: ¿le había temblado tanto la mano que había fallado el tiro?

Comprendí que ese acto no se debía ni a la camisa encontrada ni a la cosecha de cebollas arrasada por el agua, sino a la vida, a una forma de vida que a lo mejor tenía que haber cambiado como la plantación de cebollas.

Supe que el motivo había sido la granja. Quería librarse de la granja.

Y a todo eso se sumaba también una gran falta de comunicación, un vacío que yo había sido incapaz de llenar.

Los enfermeros se fueron y yo había dicho que los seguiría, pero regresé al granero. Limpié la silla y el suelo de madera. Ahora me pregunto por qué no lloré. Froté la silla, pero no pude quitar la mancha de los tablones, de las pequeñas grietas por las que la sangre se había filtrado.

Ya ha esperado bastante. Ayer, día de Navidad, con aquel terrible dolor dentro y disimulando con gran trabajo su angustia, fue, en su opinión, el día más largo de su vida. Después del paseo por el puente encontró una habitación en un motel a la salida del pueblo; allí durmió hasta que la luz del sol borró la silueta de los postigos. Entonces se dirigió a su casa para asistir a la comedia de la mañana del día de Navidad. Encontró a Harriet con la cara color ceniza. Parecía una autómata con una sonrisa helada en los labios. Estaba sentada en una silla de respaldo alto mientras los niños, después de haber destrozado sus calcetines, abrían los regalos. De sus tres hijos, sólo Hadley, sentada en el suelo con un paquete cerrado en sus rodillas, parecía haber intuido la catástrofe que flotaba en el ambiente. Se quitó el abrigo en la cocina, se sentó en el sofá e inmediatamente fue asaltado por los gritos y las preguntas de Anna y Jack, quienes, colocando los regalos en su regazo, requerían su atención para cada uno de sus juguetes y también su ayuda para poner alguno de ellos en funcionamiento. Normalmente, ésta era una tarea que aceptaba a desgana, como un deber implícito de la paternidad, aunque ayer agradeció la petición. Así podía concentrarse en algo que lo ayudara a olvidar la sonrisa helada de su mujer.

Una vez los paquetes estuvieron abiertos, los juguetes montados y en funcionamiento, se fue a la cocina y preparó unos panqueques, una costumbre navideña que esta vez no tenía para él sentido alguno. Harriet se sentó muy tiesa en la mesa del comedor. En la mano tenía un tenedor clavado en una tortita, como si fuera incapaz de partirla ella sola. Incluso Anna y Jack empezaron a sentir la calamidad que se avecinaba, y dirigían sus miradas del padre a la madre y viceversa, para acabar fijando la vista en Hadley, que por ser la mayor parecía la depositaria de todos los secretos. Al encontrarse sus ojos con los de Harriet, Charles se dispuso a aligerar el peso de todos empezando a hablar el primero. (No tenía ni idea de lo que iba a decir. No estaba preparado, ni siquiera sabía qué vocabulario emplear para decirle a un niño algo tan terrible.) Pero Harriet, adivinando su intención, lo detuvo con un gesto de cabeza. Él no sabía si aquel ademán quería decir ahora no, u hoy no, o no digas nada, pero él no era quien para hacerle preguntas, no era su voluntad.

Después de comer, Charles se quedó plantado en medio del salón, vacilante, inseguro, sin saber si podía o no subir al cuarto de baño a buscar su neceser que, con la precipitación de la noche anterior, había olvidado allí. Ya había atizado el fuego de la chimenea, recogido los envoltorios de los paquetes, terminado de fregar los platos del desayuno y ahora no tenía nada más que hacer. De costumbre iban de visita a casa de sus padres o a casa de los padres de Harriet a tomar algo o a admirar los árboles de Navidad. Suponía que Harriet planeaba todavía esas visitas y no sabía si debía acompañarla o no. ¿Tenían que decírselo primero a los niños y luego a cada una de las familias, de la misma forma que una vez anunciaron el inminente nacimiento de Anna?

Harriet tomó la decisión por él. Simplemente se le acercó y le dijo: «Vete ya.»

Él se volvió hacia Harriet con la intención de preguntarle si quería que se quedara para ayudarla a comunicárselo a los niños pero su rostro era impenetrable. Ella respondió a la pregunta que nunca fue formulada.

—Se lo diré cuando te hayas ido —dijo.

Entonces los dejó, sin decir adiós. Se deslizó por la puerta de la cocina mientras los niños jugaban, sintiéndose pequeño y mezquino. Abandonar a sus propios hijos era el peor de los crímenes, pensó.

Condujo hasta el motel. Se encerró en su habitación. Deseaba desesperadamente llamar a Siân, pero sabía que no podía hacerlo. Habían hecho un pacto: el día de Navidad no se telefonearían. Pero, ahora, ¿debía respetar aquel pacto?

Intentó dormir, un intento inútil y angustioso. Se levantó de la cama y se fue al Qwik Stop por una caja de seis cervezas; volvió a la habitación y se bebió las seis latas, una detrás de otra. A pesar de ello, siguió sin poder dormir. No había ningún sitio a donde ir, nadie a quien visitar. Era el día de Navidad, el día del año en el que todo el mundo estaba reunido, en el que todo el mundo estaba en familia. Y si hubiera podido ir a ver a alguien, ¿a quién hubiera ido a visitar? ¿Había alguien a quien pudiera contarle esa historia, alguien que pudiera entender lo que había hecho? No sentía lástima de sí mismo, no quería ni la complicidad ni la comprensión de otros hombres. Sólo quería hablar con una persona, oír la voz de una mujer. Pensó que si lograba hablar con ella podría dormir, todo estaría en su sitio.

Entonces condujo hasta la playa. Cruzó el puente para llegar a las dunas. Paseó a lo largo del espigón. El aire era límpido y frío, el mar más bravo que antes del amanecer. Le gustaba sentir el sol en la cara, aunque todavía fuera muy tibio. De regreso, embutido en su arrugado traje y su camisa manchada, caminó por la orilla sobre la arena de la playa que la marea había endurecido y recordó a Winston. Y al pensar en Winston se sintió inmediatamente invadido por los interrogantes que quedaron en suspenso tras su declaración. ¿Quién se quedará ahora con Winston? ¿Él? ¿Sus hijos? Y con estas preguntas llegaron otras ¿Dónde vivirá hasta que Siân se libere de todo? ¿Querrá ella quedarse libre? ¿Dónde irán a vivir su mujer y sus hijos cuando embarguen la casa? ¿Cómo podrá continuar con su negocio si este está ubicado en una casa en la que tiene prohibida la entrada? ¿Es todavía suyo el negocio? ¿Y cómo pagará las cosas?

Tantas preguntas lo abrumaron, lo marearon. O quizá lo que sentía era hambre. No había comido nada desde la conflictiva cena de la víspera de Navidad. («¿Fue realmente la noche de ayer?», se preguntó asombrado: le parecía que habían transcurrido muchos días.) Y, al igual que Harriet, no tocó las tortitas del desayuno. «¿Qué hora será?», pensó mirando a su alrededor en busca del sol. Lamentó no haber pensado en coger su reloj esa mañana, cuando estuvo en la casa. Imaginó que sería media tarde, las tres o quizá las cuatro. Entonces condujo hasta un bar a las afueras del pueblo, donde sabía que no sería reconocido, tomó un bocadillo y un par de cervezas en compañía de unos hombres de los que opinó eran los más tristes que jamás había visto, y cuando salió del bar ya era oscuro, suficientemente oscuro para regresar al motel y hacerse la idea de que el día ya había llegado a su fin, suficientemente oscuro para creer que ya había dejado atrás ese día terrible.

Había dormido poco. Se había despertado con un sobresalto. Llamó al encargado del motel para saber la hora y se sintió descorazonado al enterarse de que tan sólo eran las siete de la tarde. Condujo otra vez hasta el Qwik Stop, allí compró otra caja de seis cervezas junto con un cepillo de dientes y una máquina de afeitar y, a modo de prevención, unas pastillas para dormir. Si no dormía esa noche, pensó, se volvería loco.

Durmió a rachas, de veinte en veinte minutos. Una de las veces se despertó en medio de una pesadilla en la que su casa flotaba en el centro de la bahía y podía ver cómo se ahogaba Winston en una de las ventanas del piso de abajo. Había tenido también otro sueño, una especie de pesadilla erótica en la que él y Siân hacían el amor en su cama conyugal en el momento en que Hadley entraba en la habitación. Se había despertado con la camisa empapada de sudor. Incorporándose con rapidez, se arrancó la camisa del cuerpo y se fue a duchar. En el cuarto de baño decidió que sería mejor no dormir, pasar el resto de la noche hasta el amanecer sentado en la oscuridad, en la única silla de la habitación, consumiendo el resto de las cervezas.

Por el reloj del Cadillac sabe que son las diez menos diez. Después de doscientos veinticinco mil kilómetros, ese reloj marca todavía la hora exacta. Está aparcado junto a la cabina telefónica mejor situada del pueblo, detrás de un pequeño mercado de pescado al final de uno de los muelles del puerto. Es un teléfono que casi no se utiliza; quizá lo emplean sólo los pescadores para llamar a sus mujeres. La media docena de veces que ha llamado desde aquí, el único sonido que ha interferido su comunicación ha sido el del golpear de las olas contra el muelle y el de los frenéticos gritos de las gaviotas en busca de sus parejas.

Con el corazón disparado y los dedos temblorosos, más por culpa de los nervios que de la falta de sueño, marca el número de ella y luego el número de su tarjeta de crédito. El teléfono suena una, dos, tres veces. Reza ferviente y rápidamente para que su marido no esté en casa. Se aparta el cabello de la frente, mira a su alrededor como tiene por costumbre. Hoy, tras la Navidad, el muelle está desierto.

Ella contesta vacilante como hace casi siempre.

—Siân —dice con gran alivio. Por un momento teme empezar a gemir de satisfacción.

—Charles.

—Creo que si no llegas a contestar me hubiera vuelto loco —dijo precipitadamente.

—Oh... —su voz suena circunspecta, prudente.

—¿Qué pasa? —pregunta—. ¿Está tu marido en la habitación?

—No —responde ella en un tono de voz como el que emplearía para dar una información a una amiga, a una conocida—; el hermano de mi marido y su familia están aquí —hace una pausa—; están de visita... —dice con cautela.

—Siân, escúchame. Tú no has de decir nada. Hablaré yo. Pero tengo que decirte algo muy importante.

—¿Qué?

—Se lo he dicho a mi mujer.

—¿Cómo?

—Se lo he dicho a mi mujer.

Al otro lado del hilo se hace una larga pausa.

—No entiendo.

—Le he dicho a mi mujer que estoy enamorado de ti, que la voy a dejar.

La pausa es tan larga esta vez que Charles cree que ha colgado. Finalmente le oye decir quedamente, en un susurro, como si se hubiese vuelto de espaldas a los familiares que estaban en la habitación.

—Oh, no. —Siân repite estas dos sonoras sílabas en voz baja—. Oh, no.

—Ya está hecho.

—No —repite suavemente—, no.

—Siân, ya está hecho, se acabó.

—¿Qué ha pasado? ¿Por qué? —dice subiendo el tono de voz.

—Ha sido horrible, horrible.

—No puedes... —dice ella.

—¿Qué?

—Escucha —dice Siân angustiada—, tienes que volver. Tienes que hablar con ella, intentar que te acepte de nuevo. No puedes haber hecho esto. No podemos haber hecho esto.

—Siân, ya está hecho. No podía vivir de aquella manera. Pase lo que pase yo ya no podía seguir mintiendo. No te estoy pidiendo que abandones a tu marido. Sólo te estoy diciendo lo que yo tenía que hacer.

—Lo sé, lo sé.

—Bien.

—Ahora no puedo hablar. Ha pasado algo —murmura. En voz más alta dice—: ¿Y cómo te han ido las Navidades?

—¿Cuándo podré hablar contigo? ¿Cuándo puedo llamarte? —pregunta Charles.

—No puedes, hoy no. Te escribiré.

—¡Escribirme! Me volveré loco esperando la carta. Deja que te llame más tarde.

—No, no puedes. No lo entiendes —y otra vez subiendo la voz—: Lily está bien.

—De acuerdo, de acuerdo, pero prométeme una cosa: que me escribirás hoy mismo.

—Sí.

—Envíame la carta por correo urgente. Así la recibiré mañana.

—Sí.

—Y escucha, apúntate este número por si acaso. Es el del motel en el que estoy alojado. Llámame a cualquier hora. Desde una cabina, a cualquier hora, cuando puedas.

—Muy bien.
—Siân, te quiero.
—Lo sé.
—No quiero colgar.
—Lo sé.
—No quiero dejarte marchar.

Cuelga el auricular incapaz de decir adiós. Lo vuelve a descolgar inmediatamente, oye el zumbido de la línea libre. Permanece con el aparato en la mano, incapaz de moverse, resistiéndose a colgar.

Mira hacia el final del muelle, aspira una gran bocanada de aire ¿Qué habrá pasado? ¿Qué tiene que decirle?

Cuelga por fin el auricular, se encamina hacia el coche. Golpea el volante con la palma de la mano. No puede hacer nada más que esperar, una tarea para la que no está muy dotado. Le ha prometido que no la volverá a llamar. Podía oír el miedo flotando en su voz. Algo va muy mal y no puede decirle nada.

Pone el coche en marcha, se dirige hacia High Street, piensa en conducir hasta Pennsylvania. En vez de ello, pasa por la calle en la que vivía. Gira. Ve su casa. La furgoneta de Harriet no está en la puerta. Se arriesga. Dirige el Cadillac hacia el aparcamiento. No oye ningún ruido, no ve a nadie en las ventanas. Al abrir la puerta de la cocina el silencio es total: ni siquiera está Winston dando saltos de alegría para recibirlo como haría normalmente. Charles contempla el desorden del salón; los juguetes de los niños esparcidos por doquier, abandonados. Encima de la repisa de la cocina hay una nota de

Harriet. «Estamos en casa de mi hermana. No se cuando volveremos».

Charles coge la nota, se dirige a su estudio en la parte delantera de la casa. Naturalmente, comprende por qué se ha marchado de casa con los niños, ahora no puede soportar esa casa, una casa tan llena de recuerdos, una casa de la que nunca será propietaria. Se pregunta si debería llamar pero decide que no, que hoy no. No había pensado en ir por allí, tampoco había planeado trabajar, pero ya que está allí se pregunta si no tendría que hacer algo para llenar las horas hasta que Harry Noonan abra mañana la oficina de correos. Podría coger las carpetas para revisar los papeles de vuelta al motel. O, quizá, sin Harriet ni los niños allí, podría trabajar durante un par de horas, escuchar los mensajes y devolver las llamadas más importantes, abrir el correo.

Entra en el estudio e inmediatamente descubre otra nota sobre su mesa de trabajo. Todavía con el abrigo puesto, se sienta en la silla de oficina y coge la nota. Está escrita en lápiz de color morado al dorso de una hoja de su empresa. Es la letra de Jack.

Hace una bola con el papel cerrando el puño, mira hacia el patio a través de la ventana de su estudio desde donde puede ver el columpio que instaló en lo alto del castaño para Hadley y los demás niños. En el silencio de su estudio, despliega la nota, lee los garabatos del niño.

La nota consta sólo de dos palabras, una simple pregunta.

¿Por qué?

La casa estaba llena de gente, el hermano de Stephen, su mujer y sus niños. Todos se mostraban solícitos pero circunspectos. Querían preguntar cuál era exactamente el motivo por el que Stephen se hallaba en el granero con una escopeta el día de Navidad, mas no lo hicieron. En el hospital, Stephen no quiso confesar nada. A Lily se le dijo únicamente que había sido un accidente.

Te escribí la carta tal como me pediste y la eché al correo. Al redactarla sabía que era irrevocable y cuando la eché al buzón supe que era irrecuperable. También supe que, si alguna vez alguien o algo había podido partir un corazón, esta carta te partiría el tuyo porque ya había partido el mío. Y, sin embargo, el amor que habíamos compartido brevemente no se alojaba en el corazón sino en el cerebro, y en el cerebro siempre hay pensamientos, siempre hay recuerdos.

La tarde en la que entregué el paquete de correo urgente a la mujer del mostrador de la oficina de correos creí que estaba revelando un gran secreto, desvaneciendo un misterio.

A la mañana siguiente, con la casa todavía llena de gente, vestí a mi hija y la instalé en el coche. Necesitábamos leche, cereales, huevos, pan para tostar y café. No quería pensar en la oficina de correos abierta, en ti encontrando el paquete de color rojo, blanco y azul, en ti abriéndolo, llevándotelo al coche. No quería pensar en la expresión que aparecería en tu rostro cuando hubieras leído la carta.

El A&P no estaba muy lleno de gente, sólo de algunos clientes madrugadores como yo, que iban en busca de su desayuno o con la intención de acabar pronto con sus tareas. Coloqué a Lily en el carrito de la compra y empecé a recorrer los departamentos del supermercado. Desde lo alto, el hilo musical emitía una melodía lenta y casi inaudible. Puse plátanos y naranjas en el carrito y también patatas para la cena. En otro departamento encontré cereales y café, y también los puse en el carrito distraídamente. Desabroché el abrigo de Lily, recuerdo que también abrí el mío. Hacía calor dentro de la tienda. Íbamos demasiado abrigadas.

En el tercer departamento, el de la cámara frigorífica, al fondo, vi a un empleado, un muchacho alto con granos, vestido con una bata blanca cuyo cometido aquella mañana consistía en poner precio a los envases de zumo de naranja y reponer los huevos. Me encaminé hacia el final del pasillo, cogí un cartón de leche grande, unos yogures y una caja de requesón. Estaba pensando que quizás, a la larga, sería más económico, habiendo tanta gente en la casa, comprar latas de zumo de naranja congelado en lugar de los cartones que me gustan a mí. Y entonces oí la canción.

A lo mejor habían pasado una estrofa o dos antes de darme cuenta, antes de que me detuviera allí en medio de la tienda. Presté atención, escuché la melodía, sus palabras, era una simple canción popular sin mensaje para nadie, y sin embargo para mí, en aquel momento, fue una llamada a través del tiempo, un grito que cruzaba tres estados.

Empecé a pronunciar las palabras sin ponerles sonido. Lily me miró y sonrió; luego, al verme llorar, dejó de sonreír. Les puse sonido a las palabras, un sonido vacilante, cascado, en mi intento de algo parecido a cantar. El muchacho, el adolescente del final del pasillo, oyó mi voz desdichada, me vio de pie, paralizada, con mi carrito de la compra. Una mujer mayor con el pelo gris muy rizado y vestida con un abrigo que llamábamos «loden» apareció por una esquina, miró primero al muchacho y luego a mí, intentando averiguar qué estaba pasando. Mi voz era espantosa, no soy cantante. Pero no me importaba. ¿Por qué iba a avergonzarme, qué podía perder? Abrí todavía más la boca. Canté como si normalmente me gustara mi voz, canté como si toda mi vida hubiese deseado pertenecer a un coro, como si la melodía fuera una plegaria y yo el sacerdote que la reza cantando.

La canción, aquella sencilla canción de palabras misteriosas y floreados arpegios se interrumpió bruscamente dejándome a mí, perdida y sin aplausos, en medio de la tienda.

Cogí a Lily abandonando el carrito con todo lo que había en él. Cargué con ella en brazos hasta la entrada de la tienda buscando desesperadamente una cabina telefónica. Eran las ocho y veinte. Tenía que localizarte antes de que fueras a correos. Estaba enloquecida pero resuelta. Lloraba. No me importaba. Por encima de las cabezas de los clientes grité al encargado que me dejara emplear el teléfono. Él respondió que afuera, en la esquina, había una cabina de pago. Pasé corriendo con Lily en brazos por delante de la asombrada cajera, flanqueé volando una larga hilera de carritos y por fin encontré el teléfono adosado a la pared. Dejé a Lily en el suelo, busqué monedas en el fondo de mi bolso. Lily empezó a alejarse; la retuve con la pierna y mantuve a la niña pegada a mí. Encontré el pedazo de papel en la cartera, marqué los números, alimenté el teléfono con monedas como si fuera un niño al que quieres mantener callado dándole galletas.

El teléfono sonó. Respondió un hombre. Pregunté por ti. Me dijo que en las habitaciones no había teléfono, pero que con mucho gusto te transmitiría el mensaje. Le dicté con mucho cuidado su contenido: «No abras la carta, ve directamente a The Ridge. Yo me reuniré allí contigo.»

Le hice repetir el mensaje al encargado del motel. Le dije que era esencial que te lo transmitiera. Esencial. Me dijo que iría en aquel mismo momento a tu habitación y que te lo daría y, en el caso de no encontrarte, estaría al tanto para entregártelo personalmente cuando volvieras.

Le di las gracias y colgué el teléfono. Metí a Lily en el coche y me dirigí a casa.

Estaban todos en la cocina esperando el desayuno, asombrados de que hubiera regresado sin la leche y el café. Dije «hola» y «perdón», y corrí a la buhardilla.

En el cuartito, además del baúl que había viajado de Springfield a Dakar con regreso a la granja, había cajas de cartón que contenían efectos acumulados en el altillo de mi padre y que éste me había dado unos años atrás. Unas cajas habían sido colocadas a lo largo de una pared del fondo, detrás de otros baúles, y otras en una posición que hacía imposible su acceso. Pero yo cumplía una misión, tenía una meta determinada. No había un baúl suficientemente grande para mí, ningún objeto que yo no fuera capaz de franquear. Desplacé unas pesadas cajas, me abrí camino entre ellas y por un momento pensé que no podría salir de allí. Llegué por fin a la pared del fondo donde se encontraban las cajas de cartón.

Cuando estuve junto a ellas desgarré las tapas y esparcí su contenido sobre el suelo de la buhardilla. Surgió una multitud de trabajos escolares y otros recuerdos. En el interior de una caja sonaba un tintineo prometedor. Allí en el fondo había un estuche con joyas de bisutería: collares de cuentas, un alfiler de la «National Honor Society» y un puñado de anillos llamativos. Y allí, enredada en un collar, cetrina y todavía pringada de una sustancia que bien podía haber sido, treinta años atrás, «Kool Aid», se hallaba la pulsera.

La sostuve en la mano como si se tratara de un antiguo amuleto que acabara de recuperar; su valor era para mí inestimable, algo seguramente incomprensible para los demás.

Me la puse.

Bajé corriendo hasta donde estaban todos los demás reunidos. Abracé a Lily, le dije que se quedara con la familia de su tío. Comuniqué a Stephen que yo seguramente estaría ausente durante casi todo el día, pues tenía algo muy importante que hacer. Antes de que tuviera tiempo de protestar crucé muy deprisa la puerta en dirección al coche.

Conduje a setenta, ochenta millas por hora, con la esperanza de que no llegaras antes que yo.

Aquel día, el césped que rodea The Ridge estaba cubierto de nieve, una nieve muy blanca, con una capa que todavía no había pisado nadie. Estaba segura de que vendrías. Recuerdo que me sentía eufórica sabiendo que acudirías, que dentro de una o dos horas estarías conmigo. No sabía muy bien cómo iban a salir las cosas, pero tenía la certeza de que de alguna manera todo se arreglaría. Hablaríamos, nos abrazaríamos e inventaríamos una vida nueva.

Pensé en ir a dar un paseo por los alrededores del hotel, quizá me acercaría al lago. Entré en el hotel y pregunté al empleado de la recepción que me conocía si existía todavía la pista de badminton que recordaba de mi niñez. Me miró sorprendido; dijo que sí, que la pista todavía existía, aunque ahora, claro está, no estaba en condiciones para jugar. Si lo deseaba podía ir a verla. Le dije que sí, que me gustaría hacerlo. Me indicó cómo llegar. Estaba al otro lado del césped a la izquierda, detrás del seto. En verano era un prado verde con un banco de piedra. Dijo que reconocería la pista por el banco que se hallaba en ella.

Atravesé el césped dejando las primeras huellas en la nieve virgen.

Vi el seto cubierto por una gruesa capa de hielo. Encontré el banco junto al campo. Con mis manos enguantadas aparté la nieve que lo cubría. Me senté.

Miré por encima de la cancha de hierba, ahora cubierta de nieve. El sol reflejaba mil destellos en su superficie.

Contemplé de nuevo aquella cancha. Era verano y nosotros éramos niños.

Y fue entonces cuando finalmente lo vi todo.

Una ráfaga de viento empuja la puerta de rejilla metálica del motel golpeando fuertemente los dedos de Charles. Éste, haciendo una mueca de dolor, la cierra con dificultad. El viento hincha la parte posterior de su abrigo. Camina apresuradamente hacia el coche haciendo frente al vendaval. En el aparcamiento se arremolinan escombros y polvo que junto con la arena, ensucian la pureza del ambiente. La ferocidad del viento sorprende en aquel día luminoso. Sobre su cabeza, las copas de los árboles de hoja perenne se balancean y se doblan con el viento. Es una borrasca anormal, una borrasca sin nubes.

Cierra la puerta, agradece el refugio que le brinda el coche, el silencio y el sosiego. Mira sus dedos con los nudillos amoratados, el dedo corazón ya se empieza a hinchar. Al verse en el espejo retrovisor, se da cuenta de que su cabello está alborotado. Intenta peinarlo con los dedos. También observa que sus ojos están inyectados en sangre, a causa de la cerveza sin duda, pero sobre todo por la feroz falta de sueño que sufre. No puede recordar la última vez que durmió toda la noche, no puede recordar cuándo durmió por última vez la noche entera, ni tampoco cuándo pudo hacerlo durante dos horas seguidas. A pesar de haberse afeitado recientemente se nota el rostro granuloso y tirante. Pone el coche en marcha y se dirige hacia la oficina de correos. Si aún le queda algo de buena suerte, Noonan ya estará allí y, lo que todavía es más importante, el correo urgente ya habrá llegado. Como otras veces, teme y a la vez desea la carta, aunque el deseo es superior a todo. La línea de comunicación abierta entre ellos parece tan frágil, especialmente ahora que no puede hablar con ella por teléfono, y además Siân ha estado tan a la defensiva que necesita restablecerla a toda costa. Si pudiera hablar con ella, si pudieran estar físicamente el uno con el otro, cree sinceramente que todo iría bien.

Atraviesa el pueblo. La extraña borrasca está haciendo estragos en las calles. La gente del pueblo, encorvada por el viento, es arrastrada y empujada de puerta a puerta. Sombreros, periódicos, bolsas de papel, basura y adornos navideños vuelan a ras del suelo para introducirse fugazmente en los portales. Se detiene en una luz roja. Le disgustaba el peligroso balanceo del semáforo a causa del vendaval. Del lado del puerto observa el agua que golpea la escollera y cada embate es como una explosión de un petardo provocando aquella blanca espuma que anega todo lo que se halla a veinte pies del muro: los coches aparcados, los desafortunados peatones, los cables telefónicos, las paredes traseras de las tiendas. La marea está alta. Si en un par de horas sube más, se producirán serias inundaciones. Recuerda las casas construidas a ras de agua a lo largo de High Street. Los dueños de esos edificios estarán seriamente preocupados. Se pregunta si podría abrirse una brecha en el murallón.

El coche de Noonan está junto a la oficina de correos. Sí, si sigue teniendo la suerte de su lado, se dice Charles, la carta ya habrá llegado.

Abre la puerta de la oficina principal. Noonan le informa de inmediato:

—Tengo un paquete para ti, Callahan. ¿Cómo has pasado las Navidades?

Charles firma el acuse de recibo.

—Bien —responde tranquilizado al comprobar que no todo el mundo en el pueblo está al corriente del fracaso que han sido sus Navidades—. ¿Y tu?

—¡Oh!, como siempre —responde Noonan—. Demasiada comida y demasiada parentela.

—Sé a lo que te refieres —dice Charles apretando el paquete urgente contra su pecho.

—Ten cuidado por ahí afuera —grita Noonan como respuesta—, se está avecinando una extraña tormenta por la costa.

Charles asiente, corre hacia el coche, su refugio temporal. (Sabe que su automóvil es uno de los pocos refugios que le quedan, aunque GMAC, siempre bien informado, querrá seguramente recuperarlo. Antes de que le pongan las manos encima, podría acabar con él, piensa vagamente.) Rasga la envoltura del paquete, ve el delgado sobre azul. Abre el sobre con más delicadeza, despliega la carta. Con sólo distinguir su letra se siente ya reconfortado.

Lee la carta.

La vuelve a leer.

La lee una vez más.

Sostiene la carta en su mano, abre la puerta del coche, sale a respirar. Se da la vuelta lentamente, apoya la cabeza en el techo del coche. Mira hacia arriba, empieza a caminar. Completa un gran círculo en el aparcamiento siempre con la carta en la mano. Siente un vacío en el estómago como si le hubiesen propinado un puñetazo. Sobre su cabeza, las ramas de los árboles dan latigazos al tendido eléctrico. Una mujer llega conduciendo hasta el aparcamiento y baja del coche. En aquel momento el viento le arrebata un sobre de la mano. Éste se eleva y cae al suelo, se desliza por el pavimento para acabar escondido en un arbusto. La mujer corre tras él en una cómica y torpe carrera. Charles supone que la carta debe de ser importante.

Se encamina de nuevo hacia el coche. La puerta sigue abierta, un pitido advierte que algo no funciona bien. Mira la carta que sostiene su mano, está a punto de doblarla y de introducirla en el sobre azul. Pero, en vez de esto, levanta el brazo hacia el cielo sin nubes y la suelta. Observa cómo dibuja círculos en el aire y cómo cae al suelo al igual que una cometa. Pasa rozando el muro de la oficina de correos y desaparece detrás del edificio. Por un momento piensa que debería correr para cogerla, pues de alguna forma su valor es inestimable, ya que demuestra la existencia de algo precioso que una vez poseyó. Ahora recuerda repentinamente que ya no tiene nada.

Vuelve a meterse en el Cadillac, que ya no es un refugio para él. Lo pone en marcha. Llega hasta el cruce. Detrás de él, un conductor toca el claxon con insistencia. Sorprendido, Charles tuerce a la izquierda en dirección al motel.

Ella le ha escrito diciéndole que todo ha terminado. Total, completa e irrevocablemente.

Le ha escrito diciéndole que su marido se ha pegado un tiro en un brazo que desde ahora quedará inútil para siempre.

Le ha escrito diciéndole que lo ha querido.

Continúa bajando por High Street sin darse cuenta de que tiene un volante en las manos. No lleva rumbo fijo, no tiene prisa alguna. Piensa de pronto que ahora no irá nunca a Portugal. No sabe por qué, pero está seguro de ello. La ve patinando calzada con sus botas, pero no soporta esta imagen y la aparta de su pensamiento. ¿Qué está haciendo? No puede regresar al motel; ¡Dios, mío!, piensa, es el último lugar en el que desea estar. Frena con brusquedad y de repente gira en redondo en medio de High Street provocando un largo chirrido de neumáticos. Casi a ciegas se dirige hacia la playa.

A su derecha, a lo largo de High Street, el martilleo de las olas contra el dique es constante. Arriba en la colina aparece la casa que perdió Lidell; ahora no es más que un montón de vigas oxidadas bailando encima del pueblo. También aparecen otras casas con sus ventanas precintadas con tablones e hileras de sacos de arena flanqueando unos cimientos. Tiene la esperanza de que sus hijos se hallen cobijados en una casa; espera que Harriet haya tenido el buen criterio de albergarlos en algún sitio. El peligro más grande lo constituye el tendido eléctrico. Ha visto con sus propios ojos cómo los cables rotos echaban chispas por el pavimento.

Ahora la imagina echada en la cama y la sugerente visión de las aletas de su nariz lo fascina.

Puede sentir su mano sobre su piel.

En sus sueños aparece a menudo la misma imagen: sus pezones apuntando a través de la blanca tela de la blusa. Tuvo este sueño cuando era un niño y después más tarde, cuando la volvió a encontrar, pero no lo tuvo durante todos los años que transcurrieron entretanto.

Se pregunta si este sueño desaparecerá ahora.

En Portugal se hubieran sentado en un bar al sol, hubieran comido pulpo asado y salchichas portuguesas. Él le hubiera leído a ella o ella a él. Hubieran bebido vino tinto, hubieran ido a nadar y después hubieran hecho el amor.

Esos pequeños placeres de la vida.

Tenía que haber sabido que eso no era posible. Tenía que haber sabido que ella no dejaría a su marido. Ya lo había dicho, pero él no había prestado atención. *Ninguno de los dos podemos ayudarnos y ésta es la verdad.*

Vislumbra el puente a lo lejos, las olas batiendo contra los pilares. Hoy no hay ningún pescador apoyado en la barandilla. Se pregunta si el viento sería capaz de derribar a un hombre. Piensa que quizá conducirá el Cadillac directamente a través del puente y lo estrellará contra las dunas. Después regresará a pie al pueblo, llamará a GMAC y les dirá donde pueden ir a recoger *su* automóvil.

Entra en el puente a demasiada velocidad. El traqueteo de los tablones parece querer partir el Cadillac en dos.

El espectáculo que brinda la espuma azotando la barandilla es precioso, espléndido y teatral. El cielo sobre la espuma tiene un color azul intenso, que jamás ha visto antes.

Alarga el brazo hacia el asiento del copiloto, coge una lata de cerveza, la coloca entre sus piernas y hace saltar la anilla. Son las ocho y veinte de la mañana. Quizá su alma está ahora en peligro.

Al levantar la vista de la lata de cerveza ve la capa de hielo. Una capa de hielo que debe haberse formado durante la noche a causa de la espuma, una capa de hielo translúcido que cubre el puente de lado a lado. Frena un segundo demasiado tarde y lo sabe.

Nota cómo los frenos se bloquean y el coche patina. La barandilla cede sin oponer resistencia astillándose en mil pedazos. Ve el rostro de Siân, oye la voz de su hija. El Cadillac navega dibujando una magnífica curva, un delicado arco hacia Portugal.

La coordinación del tiempo es el todo, piensa.

Por primera vez en su vida, durante el desayuno, ella no supo como comportarse. Cal estaba sentado a su lado muy cerca y, sin embargo, entre los dos se abría un abismo. No podían tocarse, ni siquiera podían hablar y ella sabía que dentro de unas horas no volverían a verse nunca más. Durante toda la noche había permanecido despierta, echada sobre la cama, reviviendo aquellos momentos en el suelo del bosque, sin saber a punto fijo si fueron reales. No era posible que una cosa así le hubiera sucedido a ella y, si le había sucedido, ¿qué significaba?

No se había quitado la pulsera que se deslizaba por su delgada muñeca cada vez que movía la mano como testificando que habían estado juntos. Permaneció sentada junto a él, vestida con pantalones cortos y blusa sin mangas. Tenía un nudo en el estómago producto de los recuerdos de la noche anterior y sentía un terror infinito sabiendo que debía decir adiós. Sabía también que no la volvería a besar, que a la luz del día no podría hacerlo y sabía asimismo que tampoco la acariciaría de la manera como lo había hecho la noche anterior. Esto ya había pasado; ahora estaba archivado, era sólo un recuerdo, y tendrían que pasar muchos años para que permitiera que un muchacho la tocara de aquella manera.

Pronunció la palabra «badminton» y observó de reojo que él la miraba agradecido. Le habló en voz baja para que el monitor no pudiera oírla y, cuando se atrevió a levantar la vista, vio que Cal sonreía.

Abandonó el comedor con los demás muchachos, como si fuera a tomar el sendero hasta la capilla, como si se uniera al grupo para asistir a la última misa. Procuraba andar sola para no llamar la atención y, cuando los demás estuvieron distraídos se desvió en sigilo y se dirigió a través del césped hacia el campo de badminton. Temía que alguien la llamara y se encogió un poco como para evitar ser vista, pero milagrosamente nadie pareció notar su ausencia. La mañana era calurosa, húmeda y tranquila. El sol estaba ya en lo alto del un cielo sin nubes. Dentro de unas horas, cuando sus padres llegaran y los condujeran a sus respectivas casas, el sol abrasaría.

Lo vio sentado en aquel banco de piedra, el que anteriormente la había intrigado. Uno de los pies representaba la cabeza de un muerto, un rostro demoníaco con la lengua colgando, un rostro petrificado ostentando una mueca imperecedera; el otro pie tenía la forma de una virgen, una joven con los pechos desnudos y una rosa de piedra en la mano en lugar de un niño en los brazos. A la vista del banco, los chicos soltaban risitas solapadas y ella supuso que algún día, la iglesia, propietaria del campamento, acabaría destruyendo aquel banco. Tenía la esperanza de que no lo hiciera, porque a ella le gustaba aquella extraña pareja y le intrigaba sobremanera la mente del escultor que había sido capaz de crearla.

Cal traía consigo unas raquetas y un par de volantes. Sabía que para ir a buscar las raquetas y llegar antes que ella tenía que haber corrido mucho.

Se puso en pie con torpeza y le alargó una raqueta. Ella creyó que quería decirle algo. Él la miró sin hablarle. Con un gesto le indicó que se dirigiera a la pista y se colocara en su sitio.

Ella se encaminó hacia una parte del rectángulo de hierba cortada. Se trataba de una pista muy agradable, rodeada por los cuatro costados de arbustos, setos y algunas matas de frambuesas. Escuchó el zumbido de las abejas, los cálidos sonidos de una mañana de verano.

Sirvió él y pelotearon para entrenarse. Le preguntó si quería iniciar el partido y ella asintió con la cabeza. Tenía los brazos largos y era rápida. No había golpe que no pudiera devolver, pero su mayor defecto era ir en busca de pelotas que claramente iban fuera. El juego de él era regular, tenía más sentido de la distancia que ella, corría menos, dejando pasar las pelotas demasiado largas. Ella se dio cuenta en seguida de que jugaba en serio, de que se había percatado de que sabía jugar, de que podía ganarla.

A ella le gustaba el ruido que producía el volante al tocar el tirante cordaje de la raqueta. Le encantaba estrellarlo contra la red, lanzarlo a la hierba antes de que él tuviera tiempo de reaccionar. Cuando fallaba un golpe, se reía. Una de las veces corrió hacia atrás para alcanzar una volea. El volante desapareció en la luz del sol, ella perdió el equilibrio, tropezó y cayó al suelo. Él se acercó a la red y le preguntó si estaba bien. Sus pantalones cortos se habían manchado de verde por detrás. Ella se los sacudió. Estoy bien, dijo riendo de nuevo, después ejecutó un brillante servicio, un saque que él seguramente dejaría pasar creyendo que traspasaría la línea y, cuando el volante cayó justo en el ángulo, él emitió un silbido en señal de admiración.

El resultado era de 16-14 o algo parecido. Ganaba él por poco. Se dispuso a servir y ella esperó. La estaba mirando a través de la red, pero ella creyó que estaba estudiando la dirección del saque. Su camisa blanca estaba arremangada a la altura de los codos. Llevaba pantalones negros y zapatillas de deporte blancas. Sostuvo la raqueta y el volante con los brazos estirados. No se movió. Ella iba a animarlo, pero intuyó algo y se abstuvo. A su alrededor todo estaba en silencio, una profunda quietud de verano. Él alzó la raqueta y soltó el volante. Efectuó el saque. Fue un disparo equivocado; ella se dio cuenta en seguida. El volante se desvió, tocó el poste y rebotó en el suelo. Ella, turbada por aquel fallo se dirigió corriendo hacia donde había caído el volante y se agachó doblando la cintura para recogerlo. Él también corrió para hacer seguramente lo mismo pidiendo excusas. Cuando ella se inclinó, sus cabellos se separaron por la nuca cayéndole hacia delante y ocultando su cara.

Temblando ligeramente notó su roce.

Un beso en la nuca. Una mariposa.

Sus labios, unos labios secos de adolescente, dibujaron la forma de una mariposa en su nuca. Ella sintió el leve contacto contra su piel.

Se incorporó mirándolo, deseaba alargar la mano, tocar su brazo. Quería dar un paso hacia delante, besarle la mejilla. Quería repetir que lo que habían hecho la noche anterior estaba bien y que lo equivocado era abandonarse mutuamente. También quería decirle que sucediera lo que sucediera, nunca lo olvidaría.

Pero no fue capaz de hacerlo. Y él no fue capaz de tocarla; sólo se desplazó ligeramente hacia un lado mientras ella se retiraba el cabello de la cara.

Él dijo:

—Siân.

Ella intentó hablar, pero no pudo; dudó por un instante demasiado largo.

Ambos se giraron simultáneamente para volver a sus posiciones. Ella tenía el volante y había olvidado el tanteo del partido. Pensó que seguramente le tocaba sacar a él, pero ahora eso carecía de importancia.

Levantó la raqueta. Iba a enviar el volante muy lejos. Ella sonrió y a través de la red vio que él estaba sonriendo también.

Lanzó el volante y observó cómo éste se elevaba hacia el sol.

Y ella creyó que el volante, allá arriba, encima de ellos, se detenía entonces en lo más alto, se detenía en el tiempo.